Fünf

METHUEN'S TWENTIETH CENTURY GERMAN TEXTS

General Editor: H. F. GARTEN D. Phil.

Abenteuer eines Brotbeutels, by Heinrich Böll
Edited by Richard Plant
Vier Hörspiele, by Heinrich Böll
Edited by G. P. Sonnex
Der gute Mensch von Sezuan, by Bertolt Brecht
Edited by Margaret Mare
Puntila, by Bertolt Brecht
Edited by Margaret Mare
Fünf Lehrstücke, by Bertolt Brecht
Edited by Keith A. Dickson
Der Besuch der alten Dame, by Friedrich Dürrenmatt
Edited by Paul Ackermann
Romulus der Grosse, by Friedrich Dürrenmatt
Edited by H. F. Garten
Das Tagebuch der Anne Frank, by Anne Frank
Edited by Marjorie Hoover
Andorra, by Max Frisch
Edited by H. F. Garten
Biedermann und die Brandstifter, by Max Frisch
Edited by P. K. Ackermann
Die Ratten, by Gerhart Hauptmann
Edited by H. F. Garten
Drei Erzählungen by Hermann Hesse
Edited by Thomas Colby
Der öffentliche Ankläger, by Fritz Hochwälder
Edited by J. R. Foster
Die Verwandlung, by Franz Kafka
Edited by Marjorie Hoover
Von morgens bis mitternachts, by Georg Kaiser
Edited by H. F. Garten
Das kalte Licht, by Carl Zuckmayer
Edited by Frank C. Ryder
Der Hauptmann von Köpenick, by Carl Zuckmayer
Edited by H. F. Garten
Schachnovelle, by Stefan Zweig
Edited by Harry Zohn

Die Ausnahme und die Regel, Scene 7 b., from a Sussex University production (1968),
showing, left to right, the *hayashi*, chorus, Coolie and Merchant

METHUEN'S TWENTIETH CENTURY TEXTS

BERTOLT BRECHT

Fünf Lehrstücke

Edited by
KEITH A. DICKSON
Lecturer in German, University of Exeter

Methuen Educational Ltd
LONDON · TORONTO · SYDNEY · WELLINGTON

First published in this edition 1969
by Methuen Educational Ltd
11 New Fetter Lane, London EC4
Reprinted 1974

Printed in Great Britain by
Fletcher & Son Ltd, Norwich

ISBN 0 423 86920 5

Contents

Publisher's note

This collection is published under exclusive licence by courtesy of Suhrkamp Verlag, to whom our thanks are due.

Editor's note

I wish to thank the Brecht-Archiv for their assistance with unpublished material and for permission to reproduce it, Peter Cheeseman, Barry Edwards and Patrick Connelly for helpful comment on the technical aspects of 'Lehrtheater', and my wife Gerda for help with linguistic problems.

Preface

The five short plays in this volume constitute Brecht's most radical break with theatrical tradition. When Brecht outgrew the nihilism, cynicism and anarchy of his earliest essays in dramatic form, a study of Marxism precipitated a crisis in his thinking, the result of which was that kind of theatre which Brecht called 'epic'. The *Lehrstücke* represent an exciting period of experimentation with this new form. Though they aim at neither the breadth nor the depth of the later plays on which Brecht's international reputation rests, their relative simplicity makes both his revolutionary theories and his rebellious personality more accessible to the student.

A unique feature of these plays is that they were all written for performers rather than for audiences, and for amateurs at that, especially in schools. It was Brecht's intention that students should learn from active participation and discussion, rather than passive observation. It is hoped that this edition will encourage just such a practical approach to Brecht's art, and that 'learning by doing' will go hand-in-hand with textual study and critical discussion. Technically none of these plays is beyond the scope of an average sixth form or college group, who could give a stylized dramatic reading of each piece, using simple 'props', mime and homespun incidental music, and thus study it in its actual theatrical context.

The *Lehrstücke* are simple, but not facile. They raise in lucid form some of the basic social questions of our time. Moreover the student is not taught the answers, only the urgent necessity of looking for them.

The text of the *Lehrstücke* in this edition is based on that of the *Versuche*. Textual references to Brecht's theory of drama are to the handy one-volume edition of his *Schriften zum Theater* (see Bibliography) and are given as *SzT*. References to the *Gesammelte Werke* in twenty volumes are given as *GW*, 17, p. 992. References to unpublished material from the Brecht-Archiv in East Berlin are given with catalogue number, as *BA*, 1402, etc.

KEITH A. DICKSON
Exeter University, 1968

Introduction

THE EARLIER 'B.B.': A REBEL WITHOUT A CAUSE

Bertolt Brecht was a born rebel. The seventeen-year-old schoolboy who wrote a spirited pacifist apologia in the hey-day of Wilhelminian militarism; the dramatist of the twenties, whose motto was *épatez les bourgeois* long before he found a philosophical justification for it by reading *Das Kapital*; the passionately anti-fascist exile of the thirties, 'öfter als die Schuhe die Länder wechselnd'; the 'un-American' critic of democracy in the forties, producing some of his best work on the eve of McCarthy's anti-communist witch-hunt; the ambiguous *Heimkehrer* of the fifties, living in a Marxist society with an Austrian passport, a Swiss bank-account, and his publishing rights safely in the hands of a West German capitalist, still shocking what Mayakovski once called 'the red bourgeoisie' by attending glittering premières in a scruffy leather jacket and battered cloth cap, and who finally dodged the sounding brass of a State funeral by willing that he be buried without fuss beneath a rough-hewn slab inscribed simply 'BERTOLT BRECHT', within a stone's throw of the fulsome platitudes adorning the tomb of East Germany's poet laureate, J. R. Becher; even the posthumous Brecht, whose final broadside from his death-bed was aimed at the sycophants and lickspittles of the communist administration, but equally applicable to all who stand between present reality and Utopia: 'Schreiben Sie, dass ich ihnen unbequem war und unbequem zu bleiben gedenke. Es gibt da auch nach meinem Tode noch gewisse Möglichkeiten'; all these Brechts betoken the born rebel.

To be sure, if there is anything of Brecht in the Young Comrade of *Die Massnahme*, it may well be doubted whether he was also a born revolutionary, for this requires a ruthless subordination to a suprapersonal discipline which does not come easily to the instinctively rebellious, but Brecht was certainly, like Lessing, whom he in so many ways resembles, one of those defiant and perverse spirits who thrive on opposition: 'protestants' in the original sense of the word. One of his French admirers has essayed an epitaph of which Brecht might well have approved: 'Brecht est né et reste, malgré tout ce qui a pu changer dans son entourage, un *anti*.'*

It is therefore not surprising that Brecht's theatre is essentially one of protest, simultaneously against the injustice of a corrupt world and against the inadequacy of traditional forms to express man's predicament within it.

When Brecht began writing at the end of the First World War, the theatre for which he wrote was already in a state of ferment, and Brecht's aesthetic, like the politics of which it became the expression, can best be understood as a reaction against, and development of, the two dominant and conflicting styles of the early twentieth century: Naturalism and Expressionism.

Naturalism was itself a revolt. Throughout Europe in the last three decades of the nineteenth century, it replaced the mushy sentimentality and operatic artificiality of the *pièce bien faite* with a bold 'high-fidelity' reproduction of real life. Radical innovations in costuming, lighting, acting, 'props' and scenery enabled actors and producers to transport Zola's *coin de la nature* with amazing historical and sociological accuracy on to the stage. Stanislavski at the height of his enthusiasm for the new style sent research units to Cyprus and Rome to ensure the authenticity of his productions of *Othello* and *Julius Caesar*, and Antoine records a performance by the famous Meiningen troupe in Brussels in which the corpse of a real horse was included among the props! The theatrical illusion was made to resemble more and more nearly the real thing. 'Die Kunst hat die Tendenz, wieder die Natur zu sein', wrote Arno Holz in 1891.

Into the new bottles went new wine. Most of the dramatists of Naturalism focused their newly trained powers of observation on

* P. Abraham in *Europe* (January-February 1957), p. 8.

the more problematical aspects of social life. They weighed their age and, like Brecht after them, found it wanting. Ibsen and Shaw savagely denounced middle-class hypocrisy; Chekhov exposed, albeit more kindly, upper-class fecklessness; Zola, Hauptmann and Gorki depicted the suffering proletariat as a pitiable casualty of the Industrial Revolution. Leo Berg, though oversimplifying a highly complex literary movement, spoke for most of the new generation of writers when he wrote in 1891: 'Der Naturalismus ist nichts anders als eine Kritik der bestehenden Gesellschaft.'

It might well have been expected that Brecht would find the aggressiveness of Naturalism congenial to his own message of protest, which with differing emphases characterizes everything he wrote. But Brecht rejected Naturalism's unvarnished *exposé* of social reality at all points in his career, which helps to explain why the predominantly Naturalistic dramaturgy of Soviet Russia still tends to regard Communism's greatest dramatist as a dangerous heretic.* Of course Brecht learned much from Naturalism. There is no question in his work of a return either to the classical idealism of the German theatre from Lessing to Hebbel, or to the shallow 'Amüsiertheater' of mainstream nineteenth-century drama, and despite the often extravagantly exotic features (settings in Kiplingesque India, China, Japan, Georgia and the like, to say nothing of the 'V-effekt') Brecht's theatre always deals in the hard facts of social reality. Socialist Realism, however, the banal Soviet development of Stanislavski's Naturalism, is found only rarely in Brecht's writing. There are traces of it in *Die Mutter*, *Furcht und Elend* and *Die Tage der Commune*, but they are obscured even there by 'formalist' elements which are an embarrassment to the orthodox Marxist. For Brecht, as for Pirandello, Claudel, Wilder and Beckett for radically different reasons, Naturalism is not enough. It can demonstrate effectively man's very limited relationship with his immediate environment (family, office, school, etc.) but it cannot express his *ultimate* significance within society, together with all the sociological factors which determine it. Ingenious Marxist critics find a revolutionary message in Chekhov's

* There has been something of a thaw in their attitude since the death of Stalin but it is still basically hostile.

Three Sisters, but Brecht is said to have sniggered in embarrassment when he saw Reinhardt's production of it in 1924. Naturalism can photograph the particular, but it can only barely suggest the general, and above all it cannot demand a response, only passive acceptance. This may be enough for the pandits of Soviet theatre, for whom the passivity of the audience may even be convenient, but it was not enough for Brecht. Hauptmann provides the best clue to Brecht's rejection of Naturalism, for he endorsed Otto Brahm's judgement that his great revolutionary play, *Die Weber*, was emphatically *not* 'dramatisierter Marx in fünf Akten': 'wohl sozial', he admitted, 'aber nicht sozialistisch. Durch keiner Partei Brille habe ich gesehen'. Gerhart Hauptmann's aggressive Naturalism calls for social pity, but not necessarily for social revolution.

Expressionism, the alternative to Naturalism when Brecht was still groping for a style of his own, also furnished in Germany a theatre of protest, but of a very different order. As the newness of Germany's imperial grandeur wore off, the heady optimism and prosperity of the 'Gründerjahre' led to complacency and arrogant 'Hurrapatriotismus', and the intellectual *avant-garde* began to feel that there was something more fundamentally rotten in the state of Germany than could be cured by the correction of specific social abuses ('Teilprobleme'). The Expressionists sought to attack the roots of evil, where Naturalism had merely pruned the branches. Their awareness tragically heightened by the outbreak of the First World War, they turned their attention not upon this or that aspect of human society, but upon Man himself, whose spiritual estate stood in urgent need of a rebirth to free it from the corruption of materialism and bourgeois pettiness. For many of the Expressionists the only way to such a rebirth led through political revolution. Although Ernst Toller was later disillusioned, like Brecht, by his actual experience of Germany's abortive revolution of 1918–19, the final words of his first play *Die Wandlung* (written in a military prison in 1918) are 'Revolution! Revolution!'.

The Expressionist cry for 'Erneuerung', whether political or not, was shrill and strident in the theatre. Subjectivity and passion frequently distorted it in fact into hysterical incoherence. Naturalism's 'Sekundenstil', a faithful transcription of everyday speech, gave way to the crazily disjointed economy of the telegram ('Telegrammstil'). Characters underwent the same process of compression and distortion, and so lost their dramatically vital third dimension; characterization became caricature. Where Ibsen's Mrs Alving or Hauptmann's Johannes Vockerat had once dominated the restricted world of a middle-class sitting-room, the Expressionist stage became symbolical of the world at large, and it was peopled, after the manner of Strindberg, by the Worker, the Soldier, the Citizen, the Woman, etc, at once abstract and universal. Ecstatic vision, ignoring the surface realities of place and time, replaced the impartially photographic 'slice of life'.

Again, at first sight one would expect the Brecht whose plays proclaim 'Ändere die Welt, sie braucht es', to find much in Expressionism to suit his taste, especially the revolutionary fervour of its left wing. But although his early work shares the hectic lyricism of the Expressionists (especially *Baal*) and its denunciation of capitalism and imperialism (especially *Im Dickicht der Städte* and *Mann ist Mann*), Brecht rejected their feverish idealism and vague spirituality as an impractical abstraction. He attempted in 1922 to produce Arnold Bronnen's Expressionist play *Vatermord*, but the cast walked out on him because he would not tolerate their hysterical ranting. As he wrote in later years: 'Die Oh-Mensch-Dramatik dieser Zeit mit ihren unrealistischen Scheinlösungen stiess den Studenten der Naturwissenschaften ab' (*GW*, 17, p. 945). (He had studied medicine in Munich.) True, in Brecht's work from *Baal* to *Turandot* characters appear stripped of the psychological uniqueness with which Naturalism would have invested them. In the short plays in this present edition they appear as 'Die Flieger', 'Der Knabe', 'Der Junge Genosse' and 'Der Kuli'. Even in *Mutter Courage*, which betrays many concessions to the realistic stage, characters who boast a real name can still appear in the margin as 'Der Koch' and 'Der Feldprediger' in the Expressionist manner. There is, however, a significant difference. Whereas the characters of Expressionism represent either a cosmic abstraction or a highly subjective dream-projection of the dramatist's own ego, Brecht's retain for the most part their flesh-and-blood individuality, but at the same time are made to typify a whole social situation, the determinants of which are concrete. 'Die Wahrheit ist konkret' was one of Brecht's favourite sayings, and it underlies his whole approach to drama as a form of serious practical sociology. 'Das epische Theater ist hauptsächlich interessiert an dem Verhalten der Menschen zueinander, wo es sozialhistorisch bedeutend (typisch) ist.' (*SzT*, p. 242.)

This dimension of drama was not immediately apparent to Brecht, and the early twenties reveal him in both politics and dramaturgy as a rebel without a cause. He rejects both Naturalism and Expressionism, but cannot find a style of his own because he is not yet clear what he really wants to say. His firstling *Baal* was intended as a parody of an Expressionist play. It is a chaotic chronicle of bohemian anarchy and amoral vitalism: its key-note is the insatiable zest for life and the rampant egotism of an anti-social poet. Later Brecht attempted to disguise Baal's unpolitical nature by saying 'Er ist asozial, aber in einer asozialen Gesellschaft.' Society as such plays no part in *Baal*, and therefore the hero's private rebellion against its conventions cannot be construed politically. The same is true of all the early plays: in *Trommeln in der Nacht* the anti-hero Kragler abandons the revolutionary Spartacists and settles for modest material comforts with his 'shop-soiled' bride. *Im Dickicht der Städte* and *Mann ist Mann* (set in Al Capone's Chicago and Kipling's India respectively) not only fail to expose the root-evil of capitalist society but even betray a sneaking admiration for its ruthless formula for survival.

Nevertheless there were signs of things to come even among these prentice-plays. A bewildered Munich audience in 1922, before the première of *Trommeln in der Nacht*, found the auditorium festooned with provocative placards reading 'Glotzt nicht so romantisch'. Nor did the play allow them to do so, for above the set hung a patently artificial paper moon which glowed ironically whenever the 'hero' entered. Kragler himself comments on it in his final speech: 'Es ist gewöhnliches Theater. Es sind Bretter und ein Papiermond . . .'. In *Edward II*, an adaptation of Marlowe, 'Spruchbänder' were used to indicate the historical background and 'relativize' the action. In *Mann ist Mann* the infinitely adaptable Galy Gay is swindled out of his innocence by being encouraged to sell army property: an elephant impersonated by soldiers! In the same play Widow Begbick addresses the audience directly.

This anti-illusionistic approach to theatre, which he later termed 'epic', was not new. Vsevolod Meyerhold, the Russian producer who was later brutally murdered for his cultural heresies, had in 1907, while Stanislavskiism was still all the rage, demanded a form of theatre in which the public 'never forgets for a minute that it is seeing actors who are playing and the actors never forget that an auditorium is before them, a stage beneath them and décor all along the sides';* the Italian playwright Luigi Pirandello had written *Six Characters in Search of an Author* (1921), in which the 'characters' discuss the inadequacies of realistic theatre with the 'actors' and the 'producer': even in Germany at the close of the war Ivan Goll's 'Überdramen' and Erwin Piscator's 'Proletarisches Theater' were dispensing, for different reasons and in different ways, with theatrical illusionism, be it of the Naturalist or Expressionist variety. But their activities could be written off as the excrescences of an eccentric fringe, and there is no evidence that Brecht took heart from their example.

'Das Theater ist im Kriegszustand', wrote Brecht for the *Berliner Börsencourier* in February 1926, but it was by no means clear which side, if any, Brecht would take in the war. To construct a new aesthetic Brecht needed a new faith, and this he found later that same year in the philosophy of Karl Marx.

THE NEW FAITH AND THE NEW THEATRE

In October 1926 Brecht wrote to his friend and collaborator Elisabeth Hauptmann: 'Ich stecke acht Schuh tief im *Kapital*. Ich muss das jetzt genau wissen.' This study of Marx's dialectical materialism was the decisive turning-point in Brecht's life, and there is no evidence that he ever thought of recanting like his

* Quoted from Esslin, op. cit., p. 183.

Galileo, however ambiguous his attitude to the communist administration of the German Democratic Republic, which became his permanent home in 1949. Almost overnight his own deep-seated anti-bourgeois, anti-militarist and anti-capitalist feelings, and his sympathy with the downtrodden, were given a new meaning and purpose. His instinctive rebelliousness was no longer simply what we in England sarcastically term 'bolshy': it was sanctioned by an historical determinism which explained that capitalism was doomed because it contained an internal economic contradiction. According to Marx socialism was not simply a case of improving working conditions, wages and pensions; it was a case of siding with what Lenin liked to call 'the will of history'; revolution, already a fact in Soviet Russia, was an historical certainty, and therefore a classless world Utopia, temporarily frustrated by the illusion of bourgeois prosperity, was just around the corner.

The effect of this new faith on Brecht's conception of theatre was not immediately apparent, but it was fundamental and permanent nonetheless. In August 1928 the Theater am Schiffbauerdamm, now the Theater am Bertolt-Brecht-Platz and home of the Berliner Ensemble, put on a musical play which established Brecht's international reputation: *Die Dreigroschenoper*, freely adapted from John Gay's *Beggar's Opera*. It attempts to equate bourgeois society with gangsterdom, showing how crime is big business connived at, and even supported, by the police, and the racketeers themselves betray marked bourgeois characteristics. The dialogue was realistic, the plot deliberately artificial and 'corny'. Kurt Weill provided the music for the satirical songs which liberally punctuate the action (including the still popular *Moritat von Mackie Messer*), and 'Spruchbänder' marked off the scenes rigidly with a précis of the subsequent plot. This play was followed almost immediately by work on its successor, *Aufstieg und Fall der Stadt Mahagonny* (written 1928–9, première in Leipzig 1930), which follows the same technique, is set in Brecht's purely imaginary America, and represents an even more pointed assault on the vice and perverted values of capitalist society. Both operas were accompanied by theoretical apologias, a habit which remained with

Brecht throughout his career. The notes on *Mahagonny*, published in his *Versuche* in 1930, contain particularly unguarded and programmatic generalizations about Brecht's new kind of theatre, which have perhaps attracted rather more than their fair share of critical attention. It is here that we first find Brecht's categorical statement: 'Das moderne Theater ist das epische Theater.' Both the *Dreigroschenoper* and *Mahagonny* had been intended as satire on what Brecht styled 'die kulinarische Oper', particularly the traditional, harmless operetta with an absurd plot, a happy end, catchy tunes and a charming heroine. That the satire misfired is neither here nor there. (The incorrigible bourgeoisie actually liked the plot, went about whistling Weill's catchy tunes and found Polly Peachum utterly charming!) The point is that it was made the excuse for a full-scale attack on traditional theatre as a whole: Classical, Naturalist and Expressionist, all grossly lumped together as *vieux jeu*, outmoded by the Scientific (i.e. Marxist) Age. The new dramaturgy, as Brecht's theory gradually took shape, was characterized by three main qualities: it was 'episch', 'verfremdend' and 'nicht-aristotelisch'.

Das epische Theater

Brecht did not invent the term. It was used by Bronnen as early as 1922, then by Piscator, Döblin, Leo Lania and others, who all felt that 'fourth wall' theatre is inadequate, and that from it, as Virginia Woolf once said of the naturalistic novel, 'life escapes'. It is not simply a matter of the celebrated Unities, which even *Sturm und Drang* had abandoned. It was the removal of the fourth wall which was the real innovation: an attempt to extend the subject of the play beyond the narrow confines of the 'Guckkastenbühne', so that the whole of society was involved, including the audience. This was basically the meaning behind Piscator's introduction of film-projections and even film sequences into the live theatre, from his production of Alfons Paquet's *Fahnen* (1924) onwards.* The backdrop disappeared and became instead a screen representing, with greater 'epic' breadth than the traditional stage permits, society at large, lists of statistics and other data

* There is a photograph of this technique in Willett, op. cit., p. 109.

endowing the particular with the significance of the general. This is how we in fact loosely use the term 'epic' in English to denote the cinemascopic 'spectaculars' of Cecil B. de Mille and Dino de Laurentiis: a conventional story, but told against a 'period' background representing a cross-section of Ancient Rome or Imperial Russia. Brecht's Epic Theatre resembles this at some points. There is the projection of the Suchlinow works in *Die Mutter*,* with statistical tables to indicate the cost of living, and the 'Spruchbänder' of *Mutter Courage*, which set the private and unremembered, 'unhistorical' lives of a camp-follower and her children against the recorded history of the textbook. But his use of the term is different in one essential particular. Brecht reverts to the original meaning of 'epic', found in Aristotle who uses it as a contrast with 'lyric' and 'dramatic'. Where drama is the 'direct imitation of men in action, without the use of the narrator' (*Poetics*, VI, 2), the distinguishing feature of the novel is that it has a narrator who relays his imaginative world to the reader at second-hand. Whether he actually addresses the 'dear reader', or assumes the identity of one of the characters such as Robinson Crusoe or David Copperfield, or merely adds 'he said' and 'she thought', his is the consciousness through which we experience the world the author has created. This is what Brecht understood by epic. In his crudely juxtaposed sets of contrasting values in 'epic' and 'dramatic' theatre in the *Mahagonny* notes (see Appendix) his first 'Akzentverschiebung' is 'handelnd – erzählend'. Eric Bentley has even suggested that 'narrative realism' would most adequately translate Brecht's concept of Epic Theatre.†

In many of Brecht's plays there is an actual narrator, who introduces the action and endows it with a significance it could not possess if it were simply acted out in the traditional manner. Instead of the continuous present tense of drama we have, as it were, the past historic of the novel. In *Die Massnahme* the agitators merely act out a demonstration of what happened before the play began; in *Der gute Mensch von Sezuan* Frau Yang in one scene demonstrates to the audience how she came with her son some time ago in search of work; in *Der kaukasische Kreidekreis* the narrator

* See again Willett, p. 163. † Op. cit. p. 252.

provides a movingly lyrical commentary on the action, and intervenes whenever the situation proves incommunicable in terms of conventional theatre ('Hört, was sie dachte, nicht sagte . . .'). The chorus, reintroduced into German dramatic literature by Schiller for much the same reason in his *Braut von Messina* (1803), plays a comparable role in Brecht. As in the classical drama it punctuates the action, comments on it, offers a wider perspective, a poetic insight, or simply the reaction of the man in the street. All the plays in this collection employ a chorus, though Brecht abandoned the technique in later years.

Characters step out of their parts, as they often did in Tudor and Oriental drama, and introduce themselves: 'Mein Name ist Charles Lindbergh' (*Der Ozeanflug* in the original version); 'Ich bin der Lehrer' (*Der Jasager*); 'Ich bin Wasserverkäufer' (*Der gute Mensch von Sezuan*). This suggests not only that the action on the stage is not 'real', but also that it is essentially the *past*, being *re*-enacted for our benefit.

The projected scene-titles and 'Spruchbänder' not only break up the action to prevent the 'fluid feel of life'* which characterizes Naturalism; they serve to anticipate the action, reduce that spurious form of tension we find in the detective thriller ('Spannung auf den Ausgang'), and help the audience to concentrate on the mechanics of the action ('Spannung auf den Gang'). We are not expected to *believe in* it, but to understand and *react to* it. Brecht speaks in this connection of the 'Literarisierung des Theaters' (*SzT*, p. 30), which again stresses its narrative function. He was doubtless encouraged in this by the sensational production in Berlin of Claudel's spectacular opera, significantly entitled *Le Livre de Christophe Colomb* (1930), in which the 'annonceur' flicks through the pages of the score to conjure up the past.

The most characteristic feature of Brecht's Epic Theatre, however, is the introduction of music and songs. Brecht collaborated with a number of outstanding composers (Weill, Eisler, Dessau, Hindemith) who 'orchestrated' his text in a highly original way. The place of the classical monologue is taken by the 'Songs' for which Brecht sometimes even wrote the melody himself. At first

* J. L. Styan, on Chekhov, in *The Dark Comedy* (C.U.P., 1962), p. 119.

sight this would suggest a return to the Wagnerian 'Gesamtkunstwerk', in which music, scenery and text are fused into a grandiose unity. Brecht deliberately calls his lyric interludes 'Songs', however, to indicate that they were not to be thought of as the purely aesthetic entertainment connoted by the word 'Lieder', and with characteristic ingenuity he coined the neologism 'Misuk' to denote music that is not intended to heighten the emotional effect of a scene as in opera, but is made to serve as an additional barrier between the audience and the stage: a purely 'epic' device to provide another dimension to the action. In addition to this, the orchestra, lighting and scene-shifting should remain visible, a half-curtain being used to project texts without obscuring the theatrical mechanics.

Brecht's ultimate purpose behind what to many seems mere wilful gimmickry was quite unashamedly to stimulate thought. This is clearly indicated by the last pair of values in the *Mahagonny* notes: 'Gefühl – Ratio'. Because of this Brecht has often been unjustly written off as a drab rationalist, out to rob his audience of its traditional and legitimate right to emotion in the theatre. One of his earliest theoretical statements about Epic Theatre (written in 1927) already modifies the crude antithesis: 'Das Wesentliche am epischen Theater ist es vielleicht, dass es nicht so sehr an das Gefühl, sondern mehr an die Ratio des Zuschauers appelliert. Dabei wäre es ganz und gar unrichtig, diesem Theater das Gefühl absprechen zu wollen.' (*GW*, 15, p. 132.) In a conversation with Friedrich Wolf, he is even less ambiguous: 'Es verzichtet in keiner Weise auf Emotionen' (*GW*, 17, p. 1144). It is rather what he does *with* the emotions, and what kind of emotions that counts. They must be harnessed to social thinking. This demands a clear head and a sense of detachment, and this is what Brecht's Epic Theatre set out to provide, instead of a gratuitous feast of the emotions. Brecht wanted the detachment of a crowd in a sporting contest, though he seems not to have noticed the often violently empathetic antics of spectators round a football-pitch or boxing-ring. To encourage what he called 'die Haltung des Rauchend-Beobachtens' (*SzT*, p. 31) he even made an unsuccessful (and for the Germans sacrilegious!) attempt to abolish the No Smoking rule in the theatre. A relaxed attitude would, he felt, guarantee clear thinking, and clear thinking would automatically be Marxist! The *naïveté* of this *non sequitur* is demonstrated by the singular failure of his theatre to evoke an exclusively Marxist response.*

Verfremdung

The 'Verfremdungseffekt', rendered formidably technical by its abbreviation as 'V-Effekt', is the term which Brecht began to use from 1936 onwards to denote the distinguishing feature of this kind of theatre, and it has been the source of a good deal of unnecessary confusion and misunderstanding. 'Verfremdung' is unhappily rendered 'alienation' in English, and therefore many theatre-goers imagine it must mean 'putting the audience off the play'. French critics translating it *distanciation* are nearer the mark, since they indicate that the action is put at one remove from us. Brecht's theatre does, as we have seen, strive for a sense of detachment, but this effect is covered by the term 'epic'. Even further from the truth are the Italian *straniamento* and Russian *ochuzhdenie* ('making it look queer'), which suggest a bizarre distortion that is closer to the Theatre of the Absurd than to Brecht.

Viktor Shklovski, the Russian Formalist of the twenties, of whose term *ostranenie* Brecht's 'Verfremdung' may well be a loan-translation, gives us a clue to the real meaning of the process when he says that Tolstoy in his great novels 'refuses to call a thing by its usual name and describes it as if it were seen for the first time'.† This is exactly what Brecht aims to do when he converts reality into theatre. He does not want to 'theatre it down' ('eintheatern'), but on the contrary to render it more readily intelligible. To do this it is necessary to show it as 'fremd', i.e. as something with which we are not so stalely familiar that we no longer see it for what it really is. 'Eine verfremdende Abbildung ist eine solche, die den Gegenstand zwar erkennen, ihn aber doch zugleich fremd erscheinen lässt' (*SzT*, p. 150). Hegel was perhaps the first to draw a useful distinction between '*be*kannt' and

* Harold Hobson even affected to see 'Nazi propaganda' in *Mutter Courage!* (*The Sunday Times*, 16 May 1965.)

† Translated from *O Teorii Prozy* (Moscow, 1929), p. 13.

'*er*kannt'. Brecht actually paraphrased his own first recorded use of the term 'verfremdet' as 'aus dem Bezirk des Alltäglichen, Selbstverständlichen, Erwarteten gehoben' (*GW*, 17, p. 1087). The fairest rendering of 'Verfremdung' would therefore be 'putting into a new perspective'.

It is a commonplace of criticism that the function of all art is to provide the 'shock of recognition'.* E. T. A. Hoffmann's use of caricature, for instance, is said to ensure that we are 'shocked out of our complacent acceptance of things and people'.† Chirico is capable of transposing an egg from the kitchen to the desert in his paintings, in order that we may see it for the miracle it really is. 'Verfremdung' would seem to be just another word for the artistic process as such. Brecht even offers his own homely examples of 'Verfremdung' which tend to support this view: to see his mother as a woman a boy needs a step-father, and to see his teacher as a human being he needs bailiffs!

With Brecht, however, the term 'Verfremdung' carries overtones of political commitment. It is a near relative of the term '*Ent*fremdung', which Marx borrowed from Hegel, and which connotes the alienation of the working classes from their rights in society by means of capital exploitation. When Brecht 'alienates' his subject-matter he intends to shake our political complacency towards it, so that we can see society for what it really is. Brecht supposes that apathy is the real enemy of revolution. We simply grow accustomed to the apparently unchangeable. 'Das lange nicht Geänderte nämlich scheint unänderbar' (*SzT*, p. 151).

The final chorus of *Die Ausnahme und die Regel* shows unambiguously Brecht's conception of art as a challenge to our social apathy:

> Was nicht fremd ist, findet befremdlich!
> Was gewöhnlich ist, findet unerklärlich!
> Was da üblich ist, das erkennt als Missbrauch
> Und wo ihr den Missbrauch erkannt habt
> Da schafft Abhilfe!

* R. Gray, op. cit., p. 60.

† W. F. Mainland in his introduction to *Der goldene Topf* (Blackwell, 1942), p. vii.

and even more bluntly in *Die Massnahme*:

Ändere die Welt: sie braucht es!

Thus 'Verfremdung' is intimately related to the thinking of Karl Marx, on whose tomb in Highgate Cemetery there is the famous epitaph: 'The philosophers have only interpreted the world in various ways: the point, however, is to change it.' Brecht's whole aesthetic rested for him on this single principle. In the very last year of his life he wrote to a drama congress in Darmstadt: 'Die heutige Welt ist den heutigen Menschen nur beschreibbar, wenn sie als eine veränderbare Welt beschrieben wird' (*SzT*, p. 8).

What is not clear, however, is: what would Brecht have us change it into? His drama is clearly a call to action, 'but why it should be action along Communist lines Brecht alone knows'.* The solution is entirely the responsibility of his audience. Brecht sets the problems, but there are no answers in the back of the book.

'Eine nicht-aristotelische Dramatik'

Brecht repeatedly contrasted his type of drama with what he terms the 'Aristotelian' tradition. His first collection of *Schriften zum Theater* (1957) was subtitled *Über eine nicht-aristotelische Dramatik*. The term does not refer to the unities (which have in any case little to do with Aristotle), nor to Aristotle's theory of tragedy as a whole. It implies a rejection of two concepts foisted on to Aristotle by his interpreters in later centuries: empathy ('Einfühlung') and catharsis ('Reinigung').

By 'Einfühlung' Brecht understood the hypnotic self-identification of the gullible spectator with what he saw on the stage, a blank and unthinking acceptance of stage-illusion as reality. Misled by his new philosophy Brecht equated the bourgeois 'illusion' of the security and unchangeableness of capitalist society with theatrical illusion*ism*, that willing suspension of disbelief which was facilitated by the technical resources of the modern theatre since Naturalism. This is why he castigated the traditional theatre as a 'Zweig des bourgeoisen Rauschgifthandels' (*SzT*, p. 128), just as Marx before him had seen religion as 'Opium des

* Demetz, op. cit., p. 4.

Volks', i.e. a cheap swindle to lull the masses into a passive stupor. If we recall that Strindberg did not want intervals during a performance of his play *Miss Julie* lest they permit 'time to reflect and escape from the suggestive influence of the author-hypnotist' we can understand Brecht's statement: 'Alles was Hypnotisierversuche darstellen soll, unwürdige Räusche erzeugen muss, benebelt, muss aufgegeben werden' (*SzT*, p. 19). The spectator must not be allowed to identify in Epic Theatre, for this is politically unfruitful and even dangerous. Unthinking acceptance (even of Communism?) must be avoided at all costs.

The actor, too, must assist by withstanding the temptation to identify with the part he is playing. He must not *be* Lear, Brecht insists, he must only *show* Lear, and thus stand alongside the part. Regine Lutz, famous for her part as Yvette Pottier in *Mutter Courage*, described the effect as follows: 'Wenn die Rolle fertig erarbeitet ist, stehe ich gleichsam neben der Figur' (*Theaterarbeit*, p. 379). At rehearsals Brecht's cast were made to insert the narrative formulae 'he said' 'she replied', etc., to increase the distance between actor and rôle. This has been aptly termed 'acting in quotation marks'.*

Brecht's objection to Aristotelian catharsis is based on a similar assumption. For Brecht catharsis meant purging *away* all the socially useful emotions which might be harnessed to the forces of revolution. What Milton in *Samson Agonistes* calls 'Calm of mind, all passion spent', to Brecht meant stupefaction to the point of socially useless lethargy. This explains his antithetical 'verbraucht seine Aktivität – weckt seine Aktivität' in the *Mahagonny* notes. The point of drama was not to titillate our emotions and destroy our critical awareness of society, but to make us the more aware of its shortcomings.

Brecht's sweeping rejection of traditional 'Aristotelian' theatre is based on a misconception of its nature. We are not really accepting the 'illusion' of bourgeois society when we accept the stage-illusion of its theatre; we are never completely hoodwinked by the actor's powers of deception – the yokel who tried to warn Caesar against his stage assassins must surely be a rare excep-

* Esslin, p. 115.

tion! Even Stanislavski forbade his actors to become so absorbed by their parts that they forgot they were acting; yet we must identify *partially* with any character in order to understand him at all. Finally, Aristotle did not demand a purging away of our capacity for social criticism, but a *balance* of emotion, which leaves plenty of room for Brecht's righteous indignation. In general we can endorse the view of a Marxist critic, embarrassed by the apparent gulf between Brecht and the 'linientreu' Soviet theatre, which is still 'Aristotelian': 'Ohne die von Aristoteles entdeckten Prinzipien wären Brechts Stücke nicht das, was sie sind'.*

We can be more generous than Brecht in assessing different approaches to theatre. Brecht's Epic Theatre is an essential part of theatrical history, and we must certainly see in it a valid and important way of representing life in a scientific age: Brecht's approach is shared – though for emphatically non-Marxist reasons – by Pirandello, Claudel, Wilder, Frisch, Dürrenmatt, Tennessee Williams and Arthur Miller. But it is not, as Brecht claimed, the only way. The poetic theatre of T. S. Eliot and Christopher Fry, the neo-naturalism of John Osborne and Arnold Wesker, the return to mythology in the work of Giraudoux, Sartre and Anouilh, and the Absurd Theatre of Ionesco, Adamov and Beckett, have all proved effective alternatives in their radically different ways.

At the same time it is safe to say that no modern drama can remain uninfluenced by the over-dogmatic but creative Brecht, whose theatre is more convincing than his theory. The four plays on which his international fame will rest when the world has long since tired of arguing about his politics – *Mutter Courage*, *Leben des Galilei*, *Der gute Mensch von Sezuan* and *Der kaukasische Kreidekreis* – stand as a permanent landmark in the development of the European theatre.

It was the *Lehrstücke*, however, which made these greater plays possible. Not the least of their didactic effects was to teach their

* Th. Luthardt, *Vergleichende Studien zu Brechts 'Kleines Organon'* (Jena, 1955), p. 85.

creator a valuable lesson in dramatic craftsmanship, and it is to them that we now turn.

THE *Lehrstücke*

Brecht calls all the short plays in this collection unashamedly *Lehrstücke*. They represent his severest and most original experiment in Epic Theatre. He described all his work as 'Lehrtheater', however, in contradistinction to all forms of theatre whose sole function is to entertain, though he is always careful to point out that learning can also be entertaining.

The idea of didactic theatre is as old as modern drama itself, since this developed from the Miracles, Mysteries and Moralities of the fourteenth and fifteenth centuries, whose original function was identical with that of the stained-glass windows of the same period: to provide a Scripture lesson for the illiterate. The eighteenth century rediscovered the teaching potential of the drama, when it became what Lessing called 'die Schule der moralischen Welt', an ancillary of the Enlightenment. There was, however, another kind of didactic drama: that which was intended to teach the performers rather than the spectators. The humanists of the sixteenth century and the Jesuit teachers of the seventeenth encouraged amateur theatricals as a means of promoting valuable social attitudes, particularly what in English we call 'team spirit', which derives from active participation in a collective project.

Both forms of didacticism were given a new lease of life and a new meaning with the October Revolution in Russia in 1917. Lenin's pre-Revolutionary cry of 'Away with the non-party literati!' had encouraged a form of literature which was entirely subordinated to the interests of the Communist Party and robbed of all artistic and intellectual freedom. (Ironically Hitler was later to encourage the same trend in the interests of 'Gleichschaltung'). The great need in the revolution years was to enlighten the proletariat and encourage active participation in the Revolution itself. *Proletkult* ('proletarskaya kultura'), a portmanteau word typical of Soviet jargon, was the name given to this popular literature. Under its aegis enthusiasts such as Bogdanov and Kerzhentsev promoted a crude form of propagandistic drama known as 'Agitprop' (i.e. agitation and propaganda). Massive demonstrations, sometimes 10,000 strong, were held, in which the events of the Revolution were acted out in raw improvisations, and calling for maximum participation from the onlookers, who were even issued with parts for the crowd-scenes. Almost every Red Army unit and every factory had its amateur troupe, and there were some 3,000 of them during the years immediately following the Revolution. The movement was disbanded in 1923 as potentially dangerous to the State.

The movement spread to Germany where Erwin Piscator made an abortive attempt to establish a Proletarisches Theater in Berlin in 1918 on the same lines. He also demanded the 'Unterordnung jeder künstlerischen Absicht dem revolutionären Ziel: bewusste Betonung und Propagierung des Klassenkampfgedankens'* and a total rejection of the 'l'art pour l'art' principle. He began his career with aggressively leftist revues in workers' canteens and seedy beer-halls, then abandoned it for the despotic production of recognized left-wing playwrights such as Paquet and Toller. He was far more interested in the technical apparatus of modern theatre than drama itself. He experimented freely with projections, revolving-stages, split-level effects and the like, and reduced drama to a very subsidiary element within what he called 'total theatre'. He was never accepted by the Kommunistische Partei Deutschlands (K.P.D., founded 1918), which considered him far too much of an individualist, but his theatrical innovations were taken up at the end of the twenties when 'Agitprop' again emerged as an important cultural influence at a time of economic and political crisis.

From 1927 until Hitler came to power in 1933 over 300 troupes came into being, calling themselves Rote Blusen, Rote Ratten, Rote Spatzen, Blitze, Knüppel and the like. The most famous of them was Das Rote Sprachrohr, under the direction of Maxim Vallentin, with Hanns Eisler, Brecht's musical collaborator, as pianist. Piscator himself organized one called Die Junge Volksbühne. All their productions were a direct appeal for support of the K.P.D.,

* *Das politische Theater* (1929), p. 37.

exploited topical events as propaganda, and took the form of revues with songs and sketches, reducing the real dramatic content to a minimum.

Alongside this, from 1924 onwards, developed a movement which encouraged drama in schools with a view to fostering 'Gemeinschaftssinn', and was by no means the monopoly of the Left. At the same time there was a growing interest in collective amateur music-making with similar aims, reflected in a movement called Neue Musik, which organized festivals. The two merged on occasions, so that a primitive kind of musical–dramatic *Lehrstück* evolved which resembled formally Brecht's Epic Theatre. The earlier Donaueschingen Festival was transferred to Baden-Baden, and it was here that Brecht's *Der Ozeanflug* and *Lehrstück vom Einverständnis* received their première.

All the *Lehrstücke* in this edition are thus part of two different developments in theatrical experiment, both with the accent on amateur performance and didactic effect. *Die Massnahme* belongs more to the Agitprop tradition, and the rest to that of the school opera, though Brecht's work is greatly superior to either.

Brecht's *Lehrstücke* carry out the aims and principles of Epic Theatre in its starkest form. The stage is stripped down to its barest essentials, so that there is none of the elaborate illusionism of the Naturalist drama, nor the often pretentious symbolism of the Expressionist stage. Scenery, properties, trick lighting, costuming, special effects – all the apparently indispensable trappings of traditional theatre are drastically reduced or even abandoned. No attempt is made to rely on externals to produce an illusion like a rabbit from a conjuror's hat. 'Wir zeigen es', say the agitators in *Die Massnahme*, and this is precisely what all the characters do: they demonstrate rather than impersonate. The campaign against 'Einfühlung' is carried so far that in *Der Ozeanflug* a chorus shares the rôle of Lindbergh to prevent irrelevant hero-worship. The part of the Young Comrade in *Die Massnahme* is taken over by each of the agitators in turn. They step freely out of one tense into another, and out of one scene into another, without curtains, and they haul imaginary barges along an imaginary river, just as the students and the coolie mime their respective journeys in *Der*

Jasager and *Die Ausnahme und die Regel.* There is, however, nothing imaginary about the problem presented by each *Lehrstück*, and the stark elimination of all the 'culinary' trimmings serves to focus our whole attention upon it. The essential 'doing' which drama signifies etymologically can easily get lost among the aspidistras and whatnots of the Naturalist stage, just as it can easily be paralysed by the rhetoric and poetry of classical theatre, so that we cannot see the wood for the trees. This cannot happen in the Epic Theatre of the *Lehrstück*. Brecht likewise avoids what Zola called the 'horlogerie' of conventional plot. There is no sub-plot, no secret letter, disguised lover or ingenious denouement. The language too, though it is still often poetry, enhanced by the music of Hindemith, Weill or Eisler if this is used, is trimmed down to a strictly functional medium of communication, like Brecht's 'Gebrauchslyrik'. It is not intended to move us with the independent force of a set speech like 'Once more unto the breach' and 'To be or not to be'. The plot is simple and straightforward without becoming facile, the diction clipped and concise without becoming obscure.

In what sense are these plays didactic? Brecht's detractors always want to write them off as indoctrination and shameless propaganda which aims to 'destroy all objective detachment'.* This is a gross distortion of Brecht's purpose, which is simply to pose a problem. All sides of the problem are heard, so that the atmosphere is rather that of the law-court than the classroom or lecture theatre. (It is not a coincidence that so many of Brecht's plays contain a trial scene, see below, p. xlv.) In Brecht's law-court the witnesses are not bribed, nor the evidence 'rigged', and the verdict is entirely ours to pronounce. The *Lehrstücke* do not seek to ingrain a habit-response, but, without the 'hidden persuaders' of modern advertising, to induce thought, wherever it may lead – and it sometimes leads in directions Brecht himself never suspected. Brecht's form of drama is sometimes described as 'open' and the term is not without its merits for all Brecht's best work leaves the situation wide-open to our individual interpretation. At the end of *Der gute Mensch*

* P. Heller in *Germanic Review* (1953), p. 151.

von Sezuan, Wang, the water-bearer, turns in despair from the tragic scene before him to the audience:

> Soll es ein andrer Mensch sein? Oder eine andre Welt?
> Vielleicht nur andere Götter? Oder keine? . . .
> Verehrtes Publikum, los, such dir selbst den Schluss!
> Es muss ein guter da sein, muss, muss, muss!

The alternatives are real, and every spectator will react to them differently. As a character in Ionesco, that other self-styled anti-Aristotelian, puts it in reply to the question 'Quelle est la morale?': 'C'est à vous de la trouver'.

The *Lehrstücke* in this edition have one defect which could only be overcome through the experience gained in writing them. While all Brecht's characters are in some measure 'typical', they are not necessarily types and can have an individual life of their own. In the *Lehrstücke*, however, we are dealing with characters who exist only in two dimensions, rather like the figures in a Walt Disney cartoon. Although this method is a refreshing antidote to the often unnecessarily detailed characterization found in Naturalism, and recalls the austere stylization of Greek drama with its cothurnus and mask, it has severe limitations, and the *Lehrstücke* are only successful because they are so short and therefore do not need to do more than hint at the outline of character. There is little trace of this flatness in the great dramas from *Mutter Courage* onwards: Anna Fierling, Galileo, Shen Te and Grusche belong to the grand tradition of dramatic portraiture. Even they, however, would be unthinkable but for the five-finger exercises in Epic Theatre represented by the *Lehrstücke* in this collection.

Der Ozeanflug

Brecht's first *Lehrstück* takes the form of an optimistic secular oratorio in praise of the spirit of technological progress. The title refers to the record-breaking solo flight across the Atlantic on 20–21 May 1927, by Captain Charles A. Lindbergh. Brecht was keenly interested in aviation, which seemed to him to epitomize the adventurous spirit of the Scientific Age and the promise of a brave new world in the face of reactionary scepticism. (See the poem

Der Schneider von Ulm in the Appendix, written at about the same time.) Lindbergh had flown from New York to Le Bourget in $33\frac{1}{2}$ hours in the face of adverse weather conditions, repeated warnings that the flight was physically impossible, and the knowledge of the disaster which had just overtaken two French aviators attempting the same feat. Nothing, it seemed, could daunt man's attempt to master his universe, backed by the resources of modern scientific technology. Swinburne's famous line

Glory to Man in the highest, for Man is the master of things

sums up Brecht's attitude to science at this time, and it is no accident that his greatest hero is Galileo, the pioneer of modern empirical science. As Brecht makes Lindbergh say

> Viele sagen, die Zeit sei alt
> Aber ich habe immer gewusst, es ist eine neue Zeit.

After the 'scientific' extermination of the Jews by Hitler's ruthlessly efficient technology, and the rôle of nuclear research in the destruction of Hiroshima in the Second World War, Brecht's faith in science as such was badly shaken, as the final version of *Leben des Galilei* shows. But in 1927 there was no cause to doubt that a scientific technology must necessarily be beneficial to civilization.

It is interesting to note that there is nothing specifically Marxist about this idea, as Marxist commentators have not been slow to point out.* Science is only truly revolutionary, says the orthodox Marxist, if it is the servant of the communist state; it can, as 'imperialist' wars show, also serve reactionary forces. But Brecht was too new a convert to submit his enthusiasm for Lindbergh's heroic achievement to rational scrutiny. Apart from the reference to a 'dialektische Ökonomie' there are no Marxist thumbprints on the work.

It might be thought that the section 'Ideologie' betrays Brecht's new faith, but it too has met with the official disapproval of the Party. Although Marxism is inimical to religion, it insists that its quarrel is not with religion as such, but with the capitalist ideology which abuses it in order to pacify the exploited masses

* Schumacher, *op. cit.*, p. 297 *et seq.*

with vague promises of a rosy Hereafter. Marx not only said that religion was the opium of the people, but also 'der Seufzer der bedrängten Kreatur', and as such a legitimate form of protest which would disappear when the Revolution came. Brecht, on the other hand, makes here a frontal assault on religion. It is based on two objections: first, he believes it propagates a myth which is now disproved by empirical research: 'Unter den schärferen Mikroskopen/fällt er./Es vertreiben ihn/die verbesserten Apparate aus der Luft.' Secondly, he thinks that at best it promotes a feeble 'Humanitätsduselei' which retards the inevitable social revolution. He accordingly makes Lindbergh 'ein wirklicher Atheist'. The first charge is childish, since religion has never pretended that its tenets can be made the object of empirical research. God is not a term in scientific analysis, and he is to be sought not in outer space, but where science cannot reach: in the existential experience of love in depth. It is therefore not surprising that Brecht's Lindbergh did not come across him during his transatlantic flight, or that his later hero Galileo failed to observe him through his new telescope. Brecht should have taken Blake's advice

Seek not thy heavenly Father then beyond the skies.

The second objection is more serious. The Church as an institution has all too often opposed enlightened social reform out of sheer self-interest, but if so it has lost sight of its mission and should not be confused with religion. Brecht might also have remembered that the Church alone promoted social welfare, scientific exploration, art and scholarship until their secularization in modern times. It is therefore important to see that Brecht is attacking the abuse of religion and not religion itself, even if he himself blurs the distinction.

The first draft of Brecht's play, under the title *Der Lindberghflug*, written perhaps late in 1928, was published in the magazine *Uhu*, 12 February 1929. It was then revised and extended as an experiment in radio broadcasting for schools. The title was changed to *Flug der Lindberghs*, as Brecht wished to stress that his play was not hero-worship, since Lindbergh's achievement was the result of a team effort, as Lindbergh himself had indicated by calling his published memoirs of the flight *We*. In 1949 Brecht was asked by the Süddeutscher Rundfunk for permission to broadcast the play, and Brecht gave it, provided the title be changed to *Der Ozeanflug* and Lindbergh's name deleted from the script. The reason for this was that his hero had subsequently shown sympathy for the Nazi cause and even publicly praised the invincibility of the Luftwaffe. Brecht admitted it would involve 'eine kleine Schädigung des Gedichts', but 'die Ausmerzung des Namens wird lehrreich sein' (See Appendix C, p. 143).

Brecht visualized a wholly new technique in broadcasting. The radio would provide the musical accompaniment (composed by Weill and Hindemith) and the sound effects (wind, rain, motor, etc.). The listener in his home, provided with a score, would supply the part of Lindbergh. Although in recent years the B.B.C. have used similar techniques for school broadcasting and language-courses, Brecht's idea has still never been given a try. Instead, the radio performances of 1929 and 1950 have simply presented it as an oratorio with full professional cast. Brecht objected that in this 'konzertante Aufführung', the listener 'wurde zur Empfindung angeregt und im. Ganzen handelte es sich um eine künstlerische Suggestion, die auf den Hörer ausgeübt werden sollte, um in ihm Illusionen zu erzeugen' (*BA*, 156/15).

At the Baden-Baden Music Festival in July 1929 Brecht himself produced a performance which was to give some idea of its potential as a 'Radiolehrstück für Knaben und Mädchen'. The 'radio', consisting of choir, instrumentalists and effects man ('der Apparat'), was on the left of the platform, the 'listener' seated on the right with a score, and parts of the text were projected on to a screen at the back.

The idea was repeated in Berlin in December, with no less a conductor than Klemperer in charge of choir and orchestra. It was followed by performances in Breslau and Düsseldorf, in Philadelphia (in English), and it has been revived several times since the war.

The epic techniques and the strange blend of scientific precision and lyricism make it an interesting piece. It is a kind of lyric monodrama, since Lindbergh is the only character, but though his flight is what journalism would still describe as 'epic', his 'Kampf gegen das Primitive', snow, fog and sleep, is also uniquely dramatic.

Der Ozeanflug inspired many imitations, notably *Das Wasser* (1930) by Toch and Döblin, *Der neue Hiob* (1930) by Reutter and Seitz, and more recently *Titanic* by Loebner and Stelloh (1957).

Das Badener Lehrstück vom Einverständnis

The *Badener Lehrstück* is one of Brecht's grimmest pieces. This second oratorio, which again uses aviation as its central motif, was likewise written for and performed at the Baden-Baden Music Festival in July 1929. The performance, which, like most of Brecht's first-nights, was something of a *succès de scandale*, was attended by André Gide and by Gerhart Hauptmann, the Grand Old Man of German Naturalism, who left in disgust during the gruesome scene with the clowns, one of whom was played by Theo Lingen. Hindemith wrote the score for it, and the production ended his short-lived collaboration with Brecht. Brecht felt that Hindemith, unlike Weill, Dessau or Eisler, treated the venture only as a musical exercise and, unconcerned with its ideology, demanded too much of the limelight. The *Badener Lehrstück* was banned by the Nazis along with the rest of Brecht's work, and has since been performed only twice, in 1958 in New York under the aegis of the Rothschild Foundation, and in 1968 at the Brighton Festival.

Brecht continues the theme of the *Ozeanflug* but adjusts the socio-historical perspective. The purely imaginary situation, in which four survivors of a crash appeal to civilization for help, was inspired by the fate of Charles Nungesser and François Coli, who set out from Paris on 8 May 1927 to cross the Atlantic in a Levasseur biplane and were lost without trace. The four fliers appeal for help on the grounds that their achievements have helped to change the world. They repeat almost verbatim the final chorus of the *Ozeanflug*, though the metaphysical awe suggested by the word 'das Unerreichbare' is modified by the more optimistic and pragmatic 'das noch nicht Erreichte'. The chorus, however, persuade them that technical advances have not in fact solved the world's problems, and therefore this is not a reason why they should be saved. They insist on examining in cold blood 'ob es üblich ist, dass der Mensch dem Menschen hilft'.

A series of projected stills is shown, representing man's

inhumanity to man. They were probably shots of trench warfare during the First World War, such as Theatre Workshop used with devastating effect in the revue *Oh What a Lovely War* (1963). Then follows a piece of sadistic clowning in the circus tradition of savage farce. One of the clowns is on stilts, like the soldiers in the 1931 production of *Mann ist Mann*, and is mutilated by the two others who take advantage of his gullibility. This theatrical grotesquerie, partly inspired by Brecht's nightmare experience as an orderly in the Augsburg Military Hospital in 1918, reflects Brecht's admiration for the boisterous slapstick of Karl Valentin and Charlie Chaplin, but its inclusion in an otherwise serious and stylized oratorio anticipates the *humour noir* of Beckett and Adamov. From it the chorus, pursuing their argument with relentless and cruel logic, draw the conclusion that the fliers cannot reasonably expect help.

Solange Gewalt herrscht, kann Hilfe verweigert werden
Wenn keine Gewalt mehr herrscht, ist keine Hilfe mehr nötig.
Also sollt ihr nicht Hilfe verlangen, sondern die Gewalt abschaffen.

Surely there is a flaw in this inhuman argument? Why should the fliers be denied help simply because there is still injustice in the world? In *Die Massnahme* the Agitators feel they are justified in refusing the partial relief of suffering on the grounds that, as the *Badener Lehrstück* also puts it, 'das Ganze muss verändert werden'. It is, however, quite another thing to wait for the arrival of the classless Utopia instead of relieving suffering which has no connection whatsoever with social evil.

This is, nevertheless, not the main point of the *Lehrstück*, which, like *Der Jasager* and *Die Massnahme*, centres on the concept of 'Einverständnis'. The aviators must learn that they are individually of no account; only collectively, as a class, are they of consequence. 'Niemand stirbt wenn ihr sterbt.' In order to reach this point of self-negation they must first contemplate death, as medieval mystics once did with their motto *memento mori*, and so mortify the flesh. Another series of stills on the theme of death is shown. At the première the audience was visibly shaken by this, and Brecht directed the announcer to call out 'Nochmalige Betrachtung der mit Unlust aufgenommenen Darstellung des Todes.' (*GW*, 17, p. 1025.) A passage of 'scripture', in which the de-personalization of man in death is celebrated in biblical language, is followed by a liturgical cross-examination, which results in three of the fliers accepting total eradication of their individual identity: 'Wir sind niemand'. They have reached their 'kleinste Grösse', all except Charles Nungesser, who clings to his name and his identity and is therefore banished into outer darkness because he cannot merge with the collective will. The others find life by losing it, and take their rightful place in the inevitable march of history, by confessing their utter worthlessness. 'Gebt euch auf! Marschiert!'

Not only the language of this strange ritual drama recalls that of the Bible, which Brecht admitted to have exerted a strong influence on his style, but also the ideas expressed, as Marxist critics have noted with alarm.* The doctrine of the 'kleinste Grösse' echoes the idea of Christian humility, 'Einverständnis' has its parallel in submission to the will of God, and acceptance of death in the text 'He that loveth his life shall lose it' (John 12, xxv). There is, however, a significant difference. The Christian gospel proclaims the inalienable sovereignty of the individual, who must practise self-denial merely in order that he may discover his real self in God; the Marxist gospel proclaims the sovereignty of the masses and in the interests of the revolution, which will some day facilitate a nobler individuality, the individual must temporarily renounce his rights. This is the bitter lesson which the Young Comrade has to learn in *Die Massnahme*. The classless society is for the Marxist inevitable, but the cost of the struggle towards it is the integrity and the worth of the individual. Brecht makes little attempt here, and still less in *Die Massnahme*, of disguising the tragic sense of waste which this involves.

Der Jasager and *Der Neinsager*

These two complementary 'Schulopern' are intended to be taken together as a kind of diptych. The effect is not unlike that of the popular magazine puzzle in which two apparently identical pictures have to be compared to spot the variations.

* Schumacher, p. 322.

They are both based on a Japanese Nô play with the title *Tanikô*, attributed to Zenchiku (1405–68). The Nô plays are a highly sophisticated and stylized form of religious drama, developed in Japan in the fourteenth century from the ancient dance-dramas of China and Korea. Production methods and style have not changed significantly for over 600 years. The Nô play achieves an ethereal synthesis of dance, mime, dialogue, recitative and choral singing, with musical accompaniment on drums and flute. No attempt at naturalistic illusion is made at all: the principal actors (all male) wear traditional masks to represent their different rôles as gods, demons, women, children, heroes or dragons; 'props' are purely allusive, a fan representing a sword or a pen according to the gesture used with it, a simple bamboo frame representing a well, a boat or a bridge; journeys, fights and other 'epic' elements are mimed; there is no curtain or scenery; actors enrobe on-stage; the four-piece orchestra (*hayashi*) is fully visible; the stage is fitted with special resonators to amplify the rhythmic movement of the feet. The slender plots are drawn from traditional religious myth or heroic saga.

Arthur Waley's simplified English translations, appearing in 1921, together with the work of Klabund, a keen Orientalist whose play *Der Kreidekreis* (1925) was later adapted by Brecht for his most colourful drama, *Der kaukasische Kreidekreis*, and the writing of Claudel, who spent six years in Tokyo, all helped to popularize Oriental drama. It is clear why Brecht was fascinated by a form of drama that so closely resembled his own anti-illusionistic theatre. He ignored the fact that Nô was fundamentally a religious ritual, the underlying purpose of which was to induce a state of aesthetic trance (*yugen*), which is related to Buddhist and Shinto mysticism. Brecht was intrigued by its 'epic' features, and in 1929 adapted Elisabeth Hauptmann's translation of Waley's *Tanikô* version, under the title *Der Jasager*.

Tanikô, translated *The Valley-Hurling* by Waley, means both 'into the valley' and 'valley ritual'. The boy, Matsuwaka, is cast into the valley in accordance with an ancient rite, since he has been marked as impure by the gods on a sacred pilgrimage. Brecht 'demythologized' the plot by converting the pilgrimage into a medical expedition, extended the rôle of the chorus and included a passage in which the boy is persuaded to consent to his killing, thus linking it thematically with the *Badener Lehrstück*. Otherwise Brecht stuck fairly close to Waley's version. Kurt Weill wrote the score specially with young amateur players in mind, and the work was performed successfully by Berlin schoolchildren at the Zentralinstitut für Erziehung und Unterricht on 23 June 1930. The set and the costumes were also left to the children. It became very popular and there were some forty productions in the next year or so alone, including a broadcast. One of these was done by the Karl Marx Schule in Berlin-Neukölln, and Brecht conducted an experiment by getting the teachers to elicit honest reactions from the scholars. Many of the criticisms were so penetrating in their simple way that Brecht felt obliged to take them seriously, and accordingly rewrote the whole work. The most serious objection came from a ten-year-old who said: 'Das Stück gefällt mir sehr gut, nur das mit dem Brauch ist, glaube ich, nicht richtig' (*Stücke* IV, p. 250). Why *should* the 'Jasager' be put to death simply in accordance with a custom, and why should he be expected to consent to it? It is interesting to note that it was not the Marxists who found the play to their liking, but the Nazis, who saw in it a glorification of unthinking obedience which exactly suited their creed. Ironically, the Church also praised its 'christliche Grundwahrheit' of obedience and self-sacrifice. The first version indeed suggests that Brecht was concerned with 'Einverständnis' at all costs, but he now saw his error. His 'Jasager' was a literal yes-man, like the disciples of Hitler's crazed and evil ideology, irrationally 'einverstanden mit Falschem' – ultimately with genocide and 'totaler Krieg'. Under such circumstances sacrifice is meaningless. Accordingly the old version was renamed *Der Neinsager* and the boy was now made to reject the 'grosser Brauch' as a moral anachronism. He insists on introducing a new custom: 'nämlich in jeder neuen Lage neu nachzudenken'. Circumstances, not tradition, must determine morality.

At the same time Brecht made small but significant changes in his *Jasager*, which was then able to retain its tragic outcome and its original title. Not only is the boy's mother sick, but there is a serious outbreak of plague in the city, which only fresh medical supplies can combat; there is no mention of the Great Custom, the denouement now resting on rational judgment alone; the boy's comrades make an all-out effort to save him, but in vain; the idea of being cast to his death comes from the boy himself and is a free-will sacrifice to the success of the vital expedition. Thus in the new versions neither of his heroes is a yes-man. In both cases 'Einverständnis' means the honest and full conviction of the intellect ('Verstand').

The wholesale changes which Brecht made to accommodate the suggestions he received characterize his attitude to artistic creation as a whole. He saw it consciously as a 'Versuch', as the general title of his published works from 1930 onwards indicates. Instead of 'Werkcharakter' they have 'Experimentcharakter' (*Versuche*, I, p. 6). The experimenter can set up new apparatus if he finds his experiment unsuccessful. Brecht's notorious fondness for adapting his own works is an editor's nightmare, but it shows the willingness 'in jeder neuen Lage neu nachzudenken' stressed by the *Neinsager*.

There have been countless productions of the work, not only in Germany, but also in France, Italy, Spain, Sweden, Denmark, Belgium, the United States, Cuba, Holland and England, and it was revived very successfully in 1966, first by a London school, then by one in East Berlin with the assistance of the Berliner Ensemble. Unfortunately these productions were not on the lines Brecht intended: only the first (rejected) version of the *Jasager* was performed, since this is the text of Weill's copyright score. In Berlin the *Neinsager* was a verbatim repeat of the *Jasager* with the boy saying No instead of Yes, the last part recited without musical accompaniment. This suggested that both Yes and No are arbitrary decisions, whereas for Brecht they are the product of the differing circumstances. The plays must be taken together in order that this highly original experiment in dramatic form be seen in its proper perspective: 'Die zwei kleinen Stücke sollten womöglich nicht eins ohne das andere aufgeführt werden.' (*Versuche*, IV, p. 302.)

In performance the orchestra is seated on the right, the mass choir on the left. The action, making full use of mime, is restricted to a small dais in the centre. Costumes are simple, and the text alone supplies the scenery, in the manner of Tudor drama. The chorus provides narrative link-passages, and even interrupts the dialogue with 'Die Mutter aber sagte:', as Brecht demanded of his 'epic' actors in rehearsal. This is Epic Theatre at its most stylized, but it has a moving directness and simplicity.

The many imitations of this popular 'Schuloper' included Hindemith and Seitz's *Wir bauen eine Stadt* (1930), Fortner and Zeitler's *Cress ertrinkt* (1931) and Milhaud and Chalupt's *A propos de bottes* (1932).

Die Massnahme

Die Massnahme is Brecht's starkest work, and with *Mutter Courage* the nearest approach to tragedy by a writer who has been dismissed as 'l'homme incapable de tragédie'.* It was rejected by Neue Musik (Hindemith was on the committee) in May 1930, but eventually performed in December in Berlin by a mass choir, which consisted of no less than three workers' choral unions totalling some 400 singers, and with Helene Weigel and Ernst Busch among the speaking parts.

This was Brecht's most outspoken confession of his Marxist convictions, and his only attempt to throw in his lot with Agitprop. Nevertheless it found no favour with the left-wing Press, which dubbed it 'ein typisch kleinbürgerliches, intellektualistisches Werk'.† The reason for this can be seen by comparing it with a typical product of Agitprop in the same year: the revue *USSR – für die Sowjetmacht*. This concentrates exclusively on topical questions of the day and is a feverish summons to direct practical intervention:

> Genossen, die Getreidefront ist gefährdet.
> Der Distriktsowjet ruft Freiwillige auf.
> Mobilisiert den Komsomol.
> 10 Tage sind noch Zeit, um 30% fehlendes
> Getreide zu beschaffen.

* D. Fernandez in *Nouv. nouv. revue française*, (July-December 1956), p. 726.
† Schumacher, p. 366.

Brecht on the other hand focuses on a purely ethical question, in fact *the* ethical problem of the communist fellow-traveller: does the end justify the means? Brecht endorses the old Jesuit motto, *cum finis licitus, etiam media sunt licita*, in the interests of world revolution, but the work expresses an agony of spirit over the loss of personal integrity which is the cost of commitment.

The Young Comrade is what the modern German Marxist contemptuously terms a 'Gefühlssozialist'. He twice says 'Mein Herz schlägt für die Revolution'. His communism, like Brecht's, is an expression of faith: 'Ich glaube an die Menschheit'. He wants to right the world's wrongs, sees revolution as the only means to this end and submits his intellect to its callous discipline. His job is to help the workers to see their predicament and the possibility of united self-help, but not to intervene. 'Verfalle aber nicht dem Mitleid', he is warned. Like Brecht's later characters Grusche and Shen Te, however, the Young Comrade succumbs to the 'temptation to goodness'. In the face of present suffering his instinctive sympathy breaks out. He lays down stones for the hard-pressed barge-hauliers; he strikes down a policeman who intervenes while they are encouraging the textile workers to show solidarity in the strike; he shows his hand to the industrialists when they are trying to exploit the political chaos by obtaining arms for the coolies; and finally he defies the Party's ruling by calling upon the whole city to rise up against oppression: 'Der Mensch, der lebendige brüllt, und sein Elend zerreisst alle Dämme der Lehre'. He jeopardizes the entire campaign by yielding to humanitarian impulse. Like Johanna Dark, the courageous heroine of *Die heilige Johanna der Schlachthöfe*, written at about the same time, he has yet to realize that sympathy is not enough.

Closely related to this question is that of identity. In order to join the faceless, anonymous mass which constitutes the Party, the agitators must achieve their 'kleinste Grösse' like the airmen of the *Badener Lehrstück*, by sacrificing their individuality and becoming 'leere Blätter, auf welche die Revolution ihre Anweisung schreibt'. This is symbolized by the donning of masks, a convention from the Nô play, and accordingly, when the Young Comrade betrays the cause by showing his individual humanity, he tears off the mask, revealing 'sein nacktes Gesicht, menschlich, offen und arglos'. When he realizes that by doing this he risks exposing his comrades whose mission will fail, and mobilizing the armed forces of the opposition against Russia, he consents to his own death and total obliteration in the lime-pit. Like the 'Jasager' and the airmen he is 'einverstanden' – the word or its cognates occurs no less than fifteen times in the text – with death.

His comrades, too, face a terrible dilemma. In order to save the mission they have no alternative but to kill the young idealist. 'Furchtbar ist es, zu töten', they exclaim, but the cause demands it. 'Wer für den Kommunismus kämpft hat von allen Tugenden nur eine: dass er für den Kommunismus kämpft'. This is Lenin's morality of expedience: 'We derive our morality from the interests of the proletarian class-struggle.' Brecht reveals the moral dilemma facing any supporter of a totalitarian machine: he must renounce humanity now in order that some day it may flourish. 'Es hilft nur Gewalt, wo Gewalt herrscht' (*Die heilige Johanna*).

That this is an honest discussion of an urgent personal problem is suggested by two of Brecht's most personal lyrics. In *Der vierte Psalm* Brecht shares the tragic pathos of the Young Comrade:

> Ich bin der praktischste von allen meinen Brüdern
> Und mit *meinem* Kopf fängt es an!
> Meine Brüder waren grausam, ich bin der Grausamste –
> Und *ich* weine nachts!

An die Nachgeborenen links Brecht's inner experience with that of the Agitators:

> Ach, wir
> Die wir den Boden bereiten wollten für Freundlichkeit
> Konnten selber nicht freundlich sein.
> Ihr aber, wenn es soweit sein wird
> Dass der Mensch dem Menschen ein Helfer ist
> Gedenkt unser
> Mit Nachsicht.

The left-wing critics objected that the dilemma was purely theoretical since liquidation was not a solution endorsed by the

Party. How wrong they were, and how prophetically right Brecht proved, is revealed by the barbarous fate which overtook tens of thousands of 'heretics' during Stalin's Reign of Terror from 1934 onwards, and which differed in no way from that which befell Röhm and his supporters under Hitler's fascist dictatorship. Small wonder that *Die Massnahme* found no favour with the communists: 'it revealed exactly that side of the matter which the party wanted to keep secret at any price'.*

The result is a dark work which must rank as the only communist tragedy after Toller's *Masse Mensch*. There cannot in general be such a thing as communist tragedy since, as the title of Vishnevski's *Optimisticheskaya Tragediya* (1932) indicates, the *Weltanschauung* of communism is fundamentally optimistic. Tragedy knows no Utopia. But there can be the tragedy *of* communism, and this is what Brecht has written: 'ein Dokument von einer grausigen, statuarischen Grösse, in seiner Wucht und Konsequenz beinah einer alten Tragödie vergleichbar'.† The sombre odes of the 'Kontrollchor' serve to strengthen the resemblance to ancient tragedy.

Technically the play is Brecht's boldest experiment. Not only is the 'epic' nature of the piece stressed by the tribunal setting, in which the agitators narrate and re-enact the Young Comrade's tragic fate, but they take turns to impersonate both him and the other minor figures of the play: the 'Parteileiter', the Foreman, the Policeman, the Industrialist, the coolies and the textile workers. The suggestion is that the Agitators are not uniquely heroic, but that they are like all others, including their young idealistic comrade, except that they have joined forces with the Revolution. Circumstance alone makes men what they are. Hanns Eisler's musical interludes and choruses, the total absence of décor and props, and a projected text with scene-titles, complete the 'epic' framework.

The piece caused a riot at its première, and in 1932 a performance was interrupted by the police in Cologne, and again in Erfurt on the eve of Hitler's seizure of power in 1933.

* H. Arendt in Demetz, p. 44.

† Rühle, op. cit., p. 179.

In 1956, four months before his death, Brecht was approached by a Swedish producer, Paul Patera, for permission to perform it, and Brecht refused in a letter which is still not accessible to the public. It was suspected that Patera intended to produce it as a demonstration *against* communism. Brecht was probably right to refuse from his point of view, for if he had intended an anti-communist work, he could scarcely have made his point more forcefully than he has in *Die Massnahme*.

Die Ausnahme und die Regel

Die Ausnahme und die Regel was also written in 1930, but not published till 1937. Brecht presumably withheld publication because he planned a sequel in which there is a retrial by a Soviet court, as a result of which the Merchant is converted to communism! An unpublished fragment reads:

'burguases [*sic*!] gericht: verurteilung/gesang in der mitte/ sowetgericht: freispruch' (*BA*, 323/02).

In 1933 Brecht added topical allusions to the 'Reichstagsbrand-prozess' in the style of Agitprop (*BA*, 322/78).

Fortunately none of these 'improvements' found its way into the published version, and we are left with a disturbing parable of modern society in the form of one of Brecht's finest miniatures of Epic Theatre.

In *Die Massnahme* the exotic setting was partly the reflection of a topical issue (see note on p. 130), but in *Die Ausnahme und die Regel* the largely fictitious and artificial background of Outer Mongolia is a deliberate 'Verfremdungseffekt'. 'In these exotic settings', comments one of Brecht's rare Soviet admirers, 'the philosophical idea of the play, freed from the fetters of familiar and customary existence, achieves universality far more readily.'*

In this way Brecht 'alienates' the problem of justice in competitive society by breaking down its complex superstructure into its two basic component parts: employer and employee. Though they have a minimal individuality of their own – the Merchant is called Karl Langmann and the Coolie has a wife and children in Urga –

* I. Fradkin in Demetz, p. 104.

they are not submitted to the 'nur-psychologisch' analysis of realistic drama. They are representative types, and all they do and say is strictly related to the social context. The Merchant, a distant and 'verfremdet' relative of capitalists like Hauptmann's Dreissiger in *Die Weber*, is harsh and inhuman because the system of which he is part demands it. He must drive the Coolie hard in order to beat his competitors, moreover not, as he pretends, in order that the discovery of oil may benefit society as a whole, but so that he may receive 'hush-money' from a rival firm if he keeps its whereabouts secret. He shoots the Coolie, not because he is brutal by nature, but because, like the police of whom the Judge speaks at the tribunal, he is afraid, and with good reason. He cannot under the circumstances expect that his coolie will show him mercy when his water-supply runs out. This is why he can be acquitted at the tribunal and why even the Coolie's widow will receive no compensation. It is therefore society itself which is on trial, as in all of Brecht's many plays which contain a tribunal-scene (they include *Mann ist Mann*, *Mahagonny*, *Das Verhör des Lukullus*, *Der gute Mensch von Sezuan*, *Rundköpfe und Spitzköpfe*, *Der kaukasische Kreidekreis*). It is not that the course of justice has been perverted, for all the available evidence comes to light. On the contrary, it would require a crafty swindler like Azdak (*Kreidekreis*) to obtain a favourable verdict by perverting justice as we know it. The point is that the mutual antagonism of employer and employee has been legalized by the judicial system, which serves a society based on a purely Darwinian concept of survival of the fittest. As the Merchant sings: 'Der kranke Mann stirbt und der starke Mann ficht/Und das ist gut so.' It is the Coolie who transgresses against society's pre-Christian ethic 'Auge um Auge', by not taking advantage of the Merchant's momentary weakness. His disastrous lapse into humanity is an exception to the rule.

> In dem System, das sie gemacht haben
> Ist Menschlichkeit eine Ausnahme

though even the Coolie has a more materialistic reason for his humane act, since he fears the consequences if he should survive his employer. Society does not support goodness. In a similar situation Shen Te, the kindly prostitute of Sezuan, has to masquerade as her heartless cousin, Shui Ta, in order 'gut zu sein und doch zu leben'; the healthy instincts of Anna II in *Die sieben Todsünden* have to be kept in check by her tough-minded double, Anna I, in the interests of survival.

The problem is thus clear enough, but what about its solution? This would presumably be to build a society which does not foster men's natural greed, and where humanitarian instinct is not necessarily in conflict with self-preservation. But this leaves a number of open questions. Is this basically a social problem relevant only to capitalism, or is it a deeper existential question? Is man's inhumanity to man not perhaps characteristic of *all* forms of society, and therefore humanity always an 'unnatural' exception, the attitude of the hero and the saint? The unseemly struggle for power in the communist world appears to be just as ruthless as it ever was under capitalism. Could the dilemma not be solved differently, by converting all men individually into 'exceptions' through religion and education? At the social level can the employer not perhaps 'do a deal' with the employee to correct social inequality? The development of Western society since Marx wrote *Das Kapital* suggests that this has already taken place to a large extent, but it is still a debatable question. Brecht, characteristically, does not force an answer upon us.

The influence of the Nô play is still obvious in the Merchant's self-introduction and the miming of the journey through the desert. Further 'epic' details include the changing of the rudimentary scenery on-stage by the actors themselves, the use of projected scene-titles, the choral prologue and epilogue addressed to the audience, and the six songs which provide a pithy summary of the main points, and in the case of the Coolie's Song of Urga even a touch of lyricism and pathos. Paul Dessau wrote a score in 1947, which is still unpublished.

The language of the play is an extraordinary blend of colloquialisms ('saumässig', 'lädiert', 'herausquetschen'), modernisms ('lynchen', 'Sabotage', 'Schweigegeld'), technical jargon ('Demonstranten', 'Schadenersatz', 'Kommission'), biblical antithesis ('neben dir durstet einer: schliesse schnell deine Augen') and proverbial constructions ('Er gibt einem Menschen zu trinken, und ein Wolf trinkt'). Brecht has in fact created a new language of myth, which is *sui generis*, at once topical and timeless, prosaically concise and poetically balanced.

It has become the most popular of Brecht's shorter plays. It was first performed (in Hebrew) in Palestine in 1938, was revived by Jean-Marie Serreau in Paris in 1947, with Dessau's music, and has since been performed all over the world, on stage, radio and television, with or without music. It was featured by Serreau in a double bill with Arrabal's *Pique-nique en campagne* in 1959 (and again by Peter Cheeseman the following year in Derby) which stressed its link with modern experimental theatre, and together with Lessing's *Die Juden* in 1966 in Darmstadt, which underscored its didactic kinship with the *Aufklärung*.

Brief Chronology of Brecht's Life and Works

1898 Eugen Berthold Friedrich Brecht born in Augsburg, Bavaria, 10 February.
1904–17 School in Augsburg.
1917 Munich. Brecht begins medical studies at the university.
1918 Work as medical orderly in a military hospital in Augsburg. *Baal* written (première 1923).
1920 Munich. *Trommeln in der Nacht* (prem. 1922).
1921 *Im Dickicht der Städte* (prem. 1923).
1922 Brecht marries Marianne Zoff.
1923 *Leben Eduards des Zweiten* (prem. 1924).
1924 Brecht moves to Berlin. *Mann ist Mann* (prem. 1926).
1926 Brecht begins a detailed study of Marxism.
1927 Divorce. *Hauspostille* (book of poems).
1928 Brecht marries actress Helene Weigel. *Die Dreigroschenoper. Aufstieg und Fall der Stadt Mahagonny* (prem. 1930).
1929 *Der Flug der Lindberghs. Das Badener Lehrstück vom Einverständnis. Der Jasager* (first version). *Die heilige Johanna der Schlachthöfe.*
1930 *Der Neinsager. Die Massnahme. Die Ausnahme und die Regel. Die Mutter* (prem. 1932).
1932 *Die Rundköpfe und die Spitzköpfe* (prem. 1936).
1933 Brecht leaves Germany the day after the Reichstag fire. Austria, Switzerland, France, Denmark. *Die sieben Todsünden.*
1934 *Die Horatier und die Kuriatier* (prem. 1936).
1935 Brief visit to Moscow. *Furcht und Elend des dritten Reiches* begun (prem. 1937).
1937 *Die Gewehre der Frau Carrar.*

1938 *Leben des Galilei* (first version, prem. 1943). *Der gute Mensch von Sezuan* (prem. 1943).

1939 *Mutter Courage und ihre Kinder* (prem. 1941). *Das Verhör des Lukullus* (first version, prem. 1940).

1940 Brecht escapes from the Nazi invasion to Finland. *Herr Puntila und sein Knecht Matti* (prem. 1948).

1941 Brecht escapes from Finland via Russia to the United States.

1941–7 Brecht lives near Hollywood. Friendship and collaboration with many writers and actors, including Charles Laughton, Peter Lorre, Aldous Huxley, W. H. Auden, Eisler, Dessau and Charlie Chaplin.

(1941) *Schweyk im zweiten Weltkrieg* (prem. 1957).

(1942) *Die Gesichte der Simone Machard* (prem. 1957).

(1944) *Der kaukasische Kreidekreis* (prem. 1947).

(1947) Brech examined and acquitted by the House Committee on Un-American Activities. Return to Europe.

1948 Zürich. *Kleines Organon für des Theater. Antigone. Die Tage der Commune* (prem. 1956).

1949 Brecht moves permanently to East Berlin. Foundation of Berliner Ensemble.

1954 The Berliner Ensemble moves to the Theater am Schiffbauerdamm. *Coriolan.*

1955 Brecht receives the Stalin (now Lenin) Peace Prize.

1956 Brecht dies 14 August of coronary thrombosis.

Select Bibliography

1. BRECHT'S WORKS

The principal editions still in print are:

Stücke, Suhrkamp Verlag, Frankfurt am Main, 1953–67, in fourteen volumes.

Gesammelte Werke, Suhrkamp Verlag, Frankfurt am Main, 1967, in twenty volumes. This now standard edition contains the definitive text of nearly all Brecht's writings, including the fiction, poetry and essays.

Schriften zum Theater (ed. S. Unseld), Bibliothek Suhrkamp, Frankfurt, 1957. A selection of Brecht's most important critical writings.

Schriften zum Theater (ed. W. Hecht), Suhrkamp Verlag, 1963, in seven volumes. They contain almost all Brecht's published critical essays on theatre.

Suhrkamp have also published cheap editions of Brecht's works in their series *edition suhrkamp*. They include many of the dramas, 'Materialien' relating to them, criticism and poetry.

A definitive critical edition of all Brecht's work is still in preparation.

2. ANNOTATED EDITIONS

Mutter Courage und ihre Kinder (ed. Brookes and Fraenkel), Heinemann, 1959.

Leben des Galilei (ed. Brookes and Fraenkel), Heinemann, 1958.

Der gute Mensch von Sezuan (ed. M. Mare), Methuen, 1955.

Herr Puntila und sein Knecht Matti (ed. M. Mare), Methuen, 1962.

Selected Poems (ed. K. Wölfel), O.U.P., 1965.
Kalendergeschichten (ed. K. A. Dickson), Methuen, 1970.

3. THE DEVELOPMENT OF MODERN THEATRE

Eric Bentley, *The Playwright as Thinker*, New York, 1946, rev. 1955.
H. F. Garten, *Modern German Drama*, Methuen, 1959.
R. Grimm (ed.), *Das epische Theater*, Cologne, 1966.
M. Kesting, *Das epische Theater*, Stuttgart, 1959 (Urbanbücher 36).
O. Mann, *Geschichte des deutschen Dramas*, Stuttgart, 1963.
J. Rühle, Theater und Revolution, Munich, 1963 (dtv 145).
G. Steiner, *The Death of Tragedy*, Faber & Faber, 1961.
P. Szondi, *Theorie des modernen Dramas*, Frankfurt am Main, 1959 (rev. 1966, edition suhrkamp 27).
R. Williams, *Drama from Ibsen to Brecht*, Chatto & Windus, 1968.

4. BOOKS ON BRECHT

M. Esslin, *Brecht: A Choice of Evils*, Eyre & Spottiswoode, 1959 (rev. 1965 and available as a Heinemann paperback). The best study of Brecht to date, comprehensive and scholarly, containing an extensive bibliography and synopses of Brecht's works.
R. Gray, *Brecht* (in the series 'Writers and Critics'), Oliver & Boyd, 1961. The best shorter study of Brecht's work.
R. Grimm, *Bertolt Brecht*, Stuttgart, 1963. A useful reference book.
——, *Bertolt Brecht, die Struktur seines Werkes*, Nürnberg, 1960. A short but illuminating study of Brecht's literary technique.
W. Hecht, *Brechts Weg zum epischen Theater*, Berlin, 1962.
H. Hultberg, *Die ästhetischen Anschauungen Bertolt Brechts*, Copenhagen, 1962.
M. Kesting, *Bertolt Brecht*, Hamburg, 1959 (rowohlts monographien 37). A very readable biography, splendidly illustrated.
V. Klotz, *Bertolt Brecht, Versuch über das Werk*, Darmstadt, 1957.
K.-D. Müller, *Die Funktion der Geschichte im Werk Bertolt Brechts*, Tübingen, 1967. Much more comprehensive than the title suggests.

K. D. Petersen, *Bertolt Brecht – Bibliographie*, Bad Homburg, 1968.

E. Schumacher, *Die dramatischen Versuche Bertolt Brechts 1918–1933*, Berlin, 1955. A narrowly Marxist interpretation, but a mine of information on Brecht's earlier work.

J. Willett, *The Theatre of Bertolt Brecht*, Methuen, 1959, rev. 1967. A very fine piece of scholarship, fully documented and illustrated.

A number of collections of essays on Brecht have appeared, the most important of which are:

Sinn und Form, 1949 and 1957. Two special numbers devoted to Brecht, both of which contain valuable bibliographies by W. Nubel.

Adam & Encore, 1956, No. 254.

Das Ärgernis Brecht (ed. S. Melchinger), Stuttgart, 1961.

Brecht: Twentieth Century Views (ed. P. Demetz), Prentice-Hall, 1962.

Brecht Heute – Brecht Today (from 1971), Yearbook of the Brecht Society, with contributions in English and German on all aspects of Brecht's life and work.

5. ON THE 'LEHRSTÜCKE'

Brecht, *Die Massnahme* (edition suhrkamp 415), 1972. A critical edition by R. Steinweg, giving full discussion of all variants.

Brecht, *Der Jasager und Der Neinsager* (edition suhrkamp 171), 1966. A critical edition by P. Szondi, with the original Nô play, essays, etc.

M. P. Alter, 'Brecht and the Noh drama', *Modern Drama*, 1968, pp. 122–31.

H. Braun, *Untersuchungen zur Typologie der zeitgenössischen Schul- und Jugendoper* (diss.), Cologne, 1963.

H. Brock, *Musiktheater in der Schule*, Leipzig, 1960.

K. A. Dickson, 'Some practical hints on the *Lehrstück* as a teaching-aid', *Modern Languages*, LII, 1971, pp. 23–6.

R. Grimm, 'Zwischen Tragik und Ideologie' (essay on *Die Massnahme*), in *Das Ärgernis Brecht* (see above), pp. 103–25.

L. Hoffmann and D. H. Oswald, *Deutsches Arbeitertheater 1918–1933*, Berlin, 1961.

R. Steinweg, *Das Lehrstück. Brechts Theorie einer politisch-ästhetischen Erziehung*, Stuttgart, 1972.

6. MUSIC AND RECORDINGS

Der Lindberghflug, Universal Edition 1930; Paloma 3502.
Das Badener Lehrstück vom Einverständnis, Schott 1929.
Der Jasager, Universal Edition 1930; M.G.M. 3270.
Die Massnahme, Universal Edition 1931; Homocord H 4032.
Die Ausnahme und die Regel, recording in English (E. Bentley) on Folkways FL 9849.

Fünf Lehrstücke

Der Ozeanflug

(Ein Radiolehrstück für Knaben und Mädchen)

Mitarbeiter: E. Hauptmann, K. Weill

I
AUFFORDERUNG AN JEDERMANN

RADIO: Das Gemeinwesen bittet euch: wiederholt
Die erste Befliegung des Ozeans*
Durch das gemeinsame
Absingen der Noten
Und das Ablesen des Textes.

Hier ist der Apparat
Steig ein*
Drüben in Europa erwartet man dich
Der Ruhm winkt dir.
DIE FLIEGER:* Ich besteige den Apparat.

II
DIE AMERIKANISCHEN ZEITUNGEN RÜHMEN DEN LEICHTSINN DER FLIEGER

AMERIKA (RADIO): Ist es wahr, man sagt, du hättest bei dir
Nur deinen Strohhut und seist also
Eingestiegen wie ein Narr? Auf einem
Alten Blech willst du
Überfliegen den Atlantik?
Ohne einen Begleiter für die Orientierung
Ohne Kompaß und ohne Wasser?

III
VORSTELLUNG DES FLIEGERS UND SEIN AUFBRUCH IN NEW YORK ZU SEINEM FLUG NACH EUROPA

DIE FLIEGER: Mein Name tut nichts zur Sache*
Ich bin 25 Jahre alt
Mein Großvater war Schwede*
Ich bin Amerikaner.
Meinen Apparat* habe ich selbst ausgesucht.
Er fliegt 210 km in der Stunde
Sein Name ist „Geist von St Louis"
Die Ryanflugzeugwerke in San Diego
Haben ihn gebaut in 60 Tagen. Ich war dabei
60 Tage, und 60 Tage habe ich
Auf Land- und Seekarten
Meinen Flug eingezeichnet.
Ich fliege allein.
Statt eines Mannes nehme ich mehr Benzin mit.
Ich fliege in einem Apparat ohne Radio.
Ich fliege mit dem besten Kompaß.
3 Tage habe ich gewartet auf das beste Wetter
Aber die Berichte der Wetterwarten
Sind nicht gut und werden schlechter:
Nebel über den Küsten und Sturm über dem Meer
Aber jetzt warte ich nicht länger
Jetzt steige ich auf

Ich wage es.
Ich habe bei mir:*
2 elektrische Lampen
1 Rolle Seil
1 Rolle Bindfaden
1 Jagdmesser
4 rote Fackeln in Kautschukröhren versiegelt

1 wasserdichte Schachtel mit Zündhölzern
1 große Nadel
1 große Kanne Wasser und eine Feldflasche Wasser
5 eiserne Rationen Konserven der amerikanischen Armee jede ausreichend für 1 Tag. Im Notfall aber länger.
1 Hacke
1 Gummiboot.
1 Säge
Jetzt fliege ich.
Vor 2 Jahrzehnten der Mann Blériot*
Wurde gefeiert, weil er
Lumpige 30 km Meerwasser
Überflogen hatte.
Ich überfliege
3000.*

IV

DIE STADT NEW YORK BEFRAGT DIE SCHIFFE

DIE STADT NEW YORK (RADIO): Hier spricht die Stadt New York:
Heute morgen 8 Uhr*
Ist ein Mann von hier abgeflogen
Über das Wasser eurem Kontinent
Entgegen.
Seit sieben Stunden ist er unterwegs
Wir haben kein Zeichen von ihm
Und wir bitten
Die Schiffe, uns zu sagen
Wenn sie ihn sehen.
DIE FLIEGER: Wenn ich nicht ankomme
Sieht man mich nicht mehr.
DAS SCHIFF (RADIO): Hier spricht das Schiff „Empress of Scotland" 49 Grad 24 Minuten nördlicher Breite und 34 Grad 78 Minuten westlicher Länge

Vorhin hörten wir in der Luft
Über uns das Geräusch
Eines Motors
In ziemlicher Höhe.
Wegen des Nebels
Konnten wir nichts Genaues sehen
Es ist aber möglich, daß
Dies euer Mann war
Mit seinem Apparat
Dem „Geist von St Louis".

DIE FLIEGER: Nirgends ein Schiff und
Jetzt kommt der Nebel.*

V

FAST WÄHREND SEINES GANZEN FLUGES HAT DER FLIEGER MIT NEBEL ZU KÄMPFEN

DER NEBEL (RADIO): Ich bin der Nebel und mit mir muß rechnen
Der auf das Wasser hinausfährt.
1,000 Jahre hat man keinen gesehen
Der in der Luft herumfliegen will!
Wer bist du eigentlich?
Aber wir werden da sorgen
Daß man auch weiterhin da nicht herumfliegt!
Ich bin der Nebel!
Kehre um!

DIE FLIEGER: Was du da sagst
Das will schon überlegt sein
Wenn du noch zulegst, kehre ich
Vielleicht wirklich um.
Wenn keine Aussicht da ist
Kämpfe ich nicht weiter.

Entweder mit dem Schild oder auf dem Schild*
Mache ich nicht mit.*
Aber jetzt
Kehre ich noch nicht um.

DER NEBEL (RADIO): Jetzt bist du noch groß, weil
Du dich noch nicht auskennst mit mir
Jetzt siehst du noch etwas Wasser unter dir
Und weißt
Wo rechts und wo links ist. Aber
Warte noch eine Nacht und einen Tag
Wo du kein Wasser siehst und den Himmel nicht
Auch dein Steuer nicht
Noch deinen Kompaß.
Werde älter, dann wirst du
Wissen, wer ich bin:
Ich bin der Nebel

DIE FLIEGER: Sieben Männer haben meinen Apparat gebaut in San Diego
Oftmals 24 Stunden ohne Pause
Aus ein paar Metern Stahlrohr.
Was sie gemacht haben, das muß mir reichen
Sie haben gearbeitet, ich
Arbeite weiter, ich bin nicht allein, wir sind
Acht, die hier fliegen.

DER NEBEL (RADIO): Jetzt bist du 25 Jahre alt und
Fürchtest wenig, aber wenn du
25 Jahre und eine Nacht und einen Tag alt bist
Wirst du mehr fürchten.
Übermorgen und 1,000 Jahre noch wird es Wasser hier geben
Luft und Nebel
Aber dich wird es
Nicht geben.

DIE FLIEGER: Bis jetzt war es Tag, aber jetzt
Kommt die Nacht.

DER NEBEL (RADIO): Seit 10 Stunden kämpfe ich gegen einen Mann, der
In der Luft herumfliegt, was man

Seit 1,000 Jahren nicht gesehen hat. Ich kann
Ihn nicht herunterbringen
Übernimm du ihn, Schneesturm!*

DIE FLIEGER: Jetzt kommst du
Schneesturm!

VI
IN DER NACHT KAM EIN SCHNEESTURM

DER SCHNEESTURM (RADIO): Seit einer Stunde ist in mir ein Mann
Mit einem Apparat!
Bald oben hoch über mir
Bald unten nahe beim Wasser!
Seit einer Stunde werfe ich ihn
Gegen das Wasser und gegen den Himmel
Er kann sich nirgends halten, aber
Er geht nicht unter.
Er fällt nach oben
Und er steigt nach unten
Er ist schwächer als ein Baum an der Küste
Kraftlos wie ein Blatt ohne Ast, aber
Er geht nicht unter.
Seit Stunden sieht dieser Mensch nicht den Mond
Noch seine eigene Hand
Aber er geht nicht unter.
Auf seinen Apparat habe ich Eis gepackt
Daß er schwer wird und ihn herabzieht
Aber das Eis fällt ab von ihm und
Er geht nicht runter.*

DIE FLIEGER: Es geht nicht mehr
Gleich falle ich ins Wasser
Wer hätte gedacht, daß es
Hier auch noch Eis gibt!
3,000 Meter bin ich hoch gewesen und
3 Meter tief über dem Wasser

Aber überall ist der Sturm, Eis und Nebel.
Warum bin ich Narr aufgestiegen?
Jetzt habe ich Furcht zu sterben
Jetzt gehe ich unter.
4 Tage vor mir sind zwei Männer*
Über das Wasser geflogen wie ich
Und das Wasser hat sie verschlungen und mich
Verschlingt es auch.

VII
SCHLAF*

DER SCHLAF (RADIO): Schlaf, Charlie
Die schlimme Nacht
Ist vorüber. Der Sturm
Ist aus. Schlafe nur, Charlie
Der Wind trägt dich doch.
DIE FLIEGER: Der Wind tut für mich gar nichts
Mir sind feindlich Wasser und Luft, und ich
Bin ihr Feind.
DER SCHLAF (RADIO): Nur eine Minute beuge dich vor
Auf den Steuerhebel, nur die Augen schließe ein wenig
Deine Hand bleibt wach.
DIE FLIEGER: Oftmals 24 Stunden ohne Pause
Haben meine Kameraden in San Diego
Diesen Apparat gebaut. Möge ich
Nicht schlechter sein als sie. Ich
Darf nicht schlafen.
DER SCHLAF (RADIO): Es ist noch weit. Ruhe dich aus
Denke an die Felder von Missouri
Den Fluß und das Haus
Wo du daheim bist.
DIE FLIEGER: Ich bin nicht müde.

VIII
IDEOLOGIE

DIE FLIEGER

1

Viele sagen, die Zeit sei alt
Aber ich habe immer gewußt, es ist eine neue Zeit.
Ich sage euch, nicht von selber
Wachsen seit 20 Jahren Häuser wie Gebirge aus Erz
Viele ziehen mit jedem Jahr in die Städte, als erwarteten
sie etwas
Und auf den lachenden Kontinenten
Spricht es sich herum: das große gefürchtete Meer
Sei ein kleines Wasser.
Ich fliege jetzt schon als erster über den Atlantik
Aber ich habe die Überzeugung: schon morgen
Werdet ihr lachen über meinen Flug.

2

Aber es ist eine Schlacht gegen das Primitive
Und eine Anstrengung zur Verbesserung des Planeten
Gleich der dialektischen Ökonomie*
Welche die Welt verändern wird von Grund auf.
Jetzt nämlich
Laßt uns bekämpfen die Natur
Bis wir selber natürlich geworden sind.
Wir und unsere Technik sind noch nicht natürlich
Wir und unsere Technik
Sind primitiv.

Die Dampfschiffe sind gegen die Segler gefahren
Welche die Ruderboote hinter sich zurückließen.
Ich
Fliege gegen die Dampfschiffe

Im Kampf gegen das Primitive.
Mein Flugzeug, schwach und zittrig
Meine Apparate voller Mangel
Sind besser als die bisherigen, aber
Indem ich fliege
Kämpfe ich gegen mein Flugzeug und
Gegen das Primitive.

3

Also kämpfe ich gegen die Natur und
Gegen mich selber.
Was immer ich bin und welche Dummheiten ich glaube*
Wenn ich fliege, bin ich
Ein wirklicher Atheist.

Zehntausend Jahre lang entstand
Wo die Wasser dunkel wurden am Himmel
Zwischen Licht und Dämmerung unhinderbar
Gott. Und ebenso
Über den Gebirgen, woher das Eis kam
Sichteten die Unwissenden
Unbelehrbar Gott, und ebenso
In den Wüsten kam er im Sandsturm und
In den Städten wurde er erzeugt von der Unordnung
Der Menschenklassen, weil es zweierlei Menschen gibt
Ausbeutung und Unkenntnis, aber
Die Revolution liquidiert ihn.* Aber
Baut Straßen durch das Gebirge, dann verschwindet er
Flüsse vertreiben ihn aus der Wüste. Das Licht
Zeigt Leere und
Verscheucht ihn sofort.

Darum beteiligt euch
An der Bekämpfung des Primitiven
An der Liquidierung des Jenseits und
Der Verscheuchung jedweden Gottes, wo
Immer er auftaucht.

Unter den schärferen Mikroskopen
Fällt er.
Es vertreiben ihn
Die verbesserten Apparate aus der Luft.
Die Reinigung der Städte
Die Vernichtung des Elends
Machen ihn verschwinden und
Jagen ihn zurück in das erste Jahrtausend.

4

So auch herrscht immer noch
In den verbesserten Städten die Unordnung
Welche kommt von der Unwissenheit und Gott gleicht.
Aber die Maschinen und die Arbeiter
Werden sie bekämpfen, und auch ihr
Beteiligt euch an
Der Bekämpfung des Primitiven!

IX
WASSER

DIE FLIEGER: Jetzt
Kommt das Wasser wieder näher.
WASSERGERÄUSCH (RADIO)
DIE FLIEGER: Ich muß
Hochkommen! Dieser Wind
Drückt so.
WASSERGERÄUSCH (RADIO)
DIE FLIEGER: Jetzt geht es besser
Aber was ist das? Das Steuer
Will nicht mehr recht.* Irgendwas
Stimmt nicht.* Ist das nicht
Ein Geräusch im Motor? Jetzt
Geht es schon wieder abwärts.
Halt!
WASSERGERÄUSCH (RADIO)

DIE FLIEGER: Mein Gott! Beinahe
Hätte es uns aber gefaßt!

X

WÄHREND DES GANZEN FLUGES SPRACHEN ALLE AMERIKANISCHEN ZEITUNGEN UNAUFHÖRLICH VON DES FLIEGERS GLÜCK

AMERIKA (RADIO): Ganz Amerika glaubt, daß der Ozeanflug
Des Kapitän Derundder glücken wird.
Trotz schlechter Wetterberichte und
Des mangelhaften Zustandes seines leichten Flugzeugs
Glaubt jedermann in den Staaten, daß
Er ankommen wird
Niemals, schreibt eine Zeitung, ist ein Mann
Unseres Landes so sehr
Für einen Glücklichen gehalten worden.
Wenn der Glückliche über das Meer fliegt
Halten sich die Stürme zurück.
Wenn die Stürme sich nicht zurückhalten
Bewährt sich der Motor.
Wenn der Motor sich nicht bewährt
Bewährt sich der Mann.
Und bewährt sich der Mann nicht
Bewährt sich das Glück.
Also darum glauben wir
Daß der Glückliche ankommt.

XI

DIE GEDANKEN DES GLÜCKLICHEN

DIE FLIEGER: Zwei Kontinente, zwei Kontinente
Warten auf mich! Ich
Muß ankommen!
Auf wen wartet man schon?

Und sogar der, auf den man nicht wartet
Ankommen muß er.
Mut ist gar nichts, aber
Ankommen ist alles.
Wer auf das Meer
Hinausfliegt und ersauft
Der ist ein verdammter Narr, denn
Auf dem Meer ersauft man
Also muß ich ankommen.
Wind drückt herunter und
Nebel macht steuerlos, aber
Ich muß ankommen.
Freilich mein Apparat
Ist schwach, und schwach ist
Mein Kopf, aber
Drüben erwarten sie mich und sagen
Der kommt an und da*
Muß ich ankommen.

XII

SO FLIEGT ER, SCHRIEBEN DIE FRANZÖSISCHEN ZEITUNGEN, ÜBER SICH DIE STÜRME, UM SICH DAS MEER UND UNTER SICH DEN SCHATTEN NUNGESSERS

EUROPA (RADIO): Auf unsern Kontinent zu
Seit mehr als 24 Stunden
Fliegt ein Mann.
Wenn er ankommt
Wird ein Punkt erscheinen am Himmel
Und größer werden und
Ein Flugzeug sein und
Wird herabkommen und
Auf der Wiese wird herauskommen ein Mann und
Wir werden ihn erkennen

Nach dem Bild in der Zeitung, das
Vor ihm herüberkam.
Aber wir fürchten, er
Kommt nicht. Die Stürme
Werden ihn ins Meer werfen
Sein Motor wird nicht durchhalten
Er selber wird den Weg zu uns nicht finden.
Also darum glauben wir
Wir werden ihn nicht sehen.

XIII
DES FLIEGERS GESPRÄCH MIT SEINEM MOTOR

DER MOTOR LÄUFT (RADIO)
DIE FLIEGER: Jetzt ist es nicht mehr weit. Jetzt
Müssen wir uns noch zusammennehmen
Wir zwei.*
Hast du genug Öl?
Meinst du, das Benzin reicht dir aus?
Hast du kühl genug?*
Geht es dir gut?
DER MOTOR LÄUFT (RADIO)
DIE FLIEGER: Das Eis ist schon ganz weg
Das dich bedrückt hat.
Der Nebel, das ist meine Sache.
Du machst deine Arbeit
Du mußt nur laufen.
DER MOTOR LÄUFT (RADIO)
DIE FLIEGER: Erinnere dich: In St Louis sind wir zwei
Länger in der Luft gewesen
Es ist gar nicht mehr weit. Jetzt kommt
Schon Irland, dann kommt Paris
Werden wir es schaffen?
Wir zwei?
DER MOTOR LÄUFT (RADIO)

XIV
ENDLICH UNWEIT SCHOTTLANDS* SICHTET DER FLIEGER FISCHER

DIE FLIEGER: Dort
Sind Fischerboote.
Die wissen
Wo die Insel ist.
Hallo, wo
Ist England?
DIE FISCHER (RADIO): Da ruft etwas.
Horch!
Was soll da rufen?
Horch, das Rattern!
In der Luft
Rattert etwas!
Was soll da rattern?
DIE FLIEGER: Hallo, wo
Ist England?
DIE FISCHER (RADIO): Schau, dort
Fliegt ein solches Ding!
Das ist ein Flugzeug!
Wie soll da ein Flugzeug sein?
Niemals
Kann ein solches Ding aus Stricken
Leinwandfetzen und Eisen
Über das Wasser!*
Nicht einmal ein Narr
Würde sich hineinsetzen
Es fiele doch
Einfach ins Wasser
Schon der Wind
Würde es einstecken* und welcher Mensch
Hielte so lange Zeit am Steuer aus?

DIE FLIEGER: Hallo, wo
Ist England?
DIE FISCHER (RADIO): Schau doch wenigstens!
Wozu da schauen, wo es
Doch niemals sein kann?
Jetzt ist es fort.
Ich weiß auch nicht
Wie es sein kann.
Es *war* aber.

XV
AUF DEM FLUGPLATZ LE BOURGET BEI PARIS ERWARTET IN DER NACHT DES 21. MAI 1927, ABENDS 10 UHR, EINE RIESENMENGE* DEN AMERIKANISCHEN FLIEGER

EUROPA (RADIO): Jetzt kommt er!
Am Himmel erscheint
Ein Punkt.
Er wird größer. Es ist
Ein Flugzeug.
Jetzt kommt es herab.
Auf die Wiese heraus
Kommt ein Mann
Und jetzt
Erkennen wir ihn: das ist
Der Flieger.
Der Sturm hat ihn nicht verschlungen
Noch das Wasser.
Bewährt hat sich sein Motor und er
Hat den Weg gefunden zu uns.
Er ist angekommen.

XVI
ANKUNFT DES FLIEGERS AUF DEM FLUGPLATZ LE BOURGET BEI PARIS

GERÄUSCH EINER GROSSEN MASSE (RADIO)

DIE FLIEGER: Ich bin Derundder. Bitte tragt mich
In einen dunklen Schuppen, daß
Keiner sehe* meine
Natürliche Schwäche.
Aber meldet meinen Kameraden in den Ryan-Werken
von San Diego
Daß ihre Arbeit gut war.
Unser Motor hat ausgehalten
Ihre Arbeit war ohne Fehler.

XVII
BERICHT ÜBER DAS UNERREICHBARE

RADIO UND DIE FLIEGER: Zu der Zeit, wo die Menschheit
Anfing sich zu erkennen
Haben wir Wägen* gemacht
Aus Holz, Eisen und Glas.
Und sind durch die Luft geflogen
Und zwar mit einer Schnelligkeit, die den Hurrikan
Um das Doppelte übertraf.
Und zwar war unser Motor
Stärker als 100 Pferde, aber
Kleiner als ein einziges.
1,000 Jahre fiel alles von oben nach unten
Ausgenommen* der Vogel.
Selbst auf den ältesten Steinen
Fanden wir keine Zeichnung
Von irgend einem Menschen, der
Durch die Luft geflogen ist

Aber wir haben uns erhoben
Gegen Ende des 2. Jahrtausends* unserer Zeitrechnung
Erhob sich unsere
Stählerne Einfalt
Aufzeigend das Mögliche
Ohne uns vergessend* zu machen: das
Unerreichbare.
Diesem ist dieser Bericht gewidmet.

Das Badener Lehrstück vom Einverständnis

Mitarbeiter: S. Dudow

Auf einem in seinen Abmessungen der Anzahl der Mitspielenden entsprechenden Podium steht im Hintergrund der gelernte Chor. Links ist das Orchester aufgestellt, links im Vordergrund steht ein Tisch, an dem der Dirigent, der Sänger und Musikanten, der Leiter der allgemeinen Gesänge (Vorsänger) und der Sprecher sitzen. Die Sänger der vier Gestürzten sitzen an einem Pult rechts im Vordergrund. Zur Verdeutlichung der Szene können neben oder auf dem Podium die Trümmer eines Flugapparates liegen.*

I

BERICHT VOM FLIEGEN

Die vier Flieger berichten:

Zu der Zeit, wo die Menschheit
Anfing sich zu erkennen
Haben wir Flugzeuge gemacht
Aus Holz, Eisen und Glas
Und sind durch die Luft geflogen.
Und zwar mit einer Schnelligkeit, die den Hurrikan
Um das Doppelte übertraf.
Und zwar war unser Motor
Stärker als hundert Pferde, aber
Kleiner als ein einziges.
Tausend Jahre fiel alles von oben nach unten
Ausgenommen der Vogel.
Selbst auf den ältesten Steinen
Fanden wir keine Zeichnung
Von irgendeinem Menschen, der
Durch die Luft geflogen ist.

Aber wir haben uns erhoben.
Gegen Ende des zweiten Jahrtausends unsrer Zeitrechnung
Erhob sich unsere
Stählerne Einfalt
Aufzeigend das Mögliche
Ohne uns vergessen zu machen: das
Noch nicht Erreichte.

II
DER STURZ

Der Führer des gelernten Chors spricht die Gestürzten an:

Fliegt jetzt nicht mehr.
Ihr braucht nicht mehr geschwinder zu werden.
Der niedere Boden
Ist für euch
Jetzt hoch genug.
Daß ihr reglos liegt
Genügt.
Nicht oben über uns
Nicht weit vor uns
Nicht in eurem Laufe
Sondern reglos
Sagt uns, wer ihr seid.

Die Gestürzten antworten:

Wir beteiligten uns an den Arbeiten unserer Kameraden.
Unsere Flugzeuge wurden besser
Wir flogen höher und höher
Das Meer war überwunden
Schon waren die Berge niedrig.
Uns hatte erfaßt das Fieber
Des Städtebaus und des Öls.
Unsere Gedanken waren Maschinen und
Die Kämpfe um Geschwindigkeit.
Wir vergaßen über den Kämpfen*

Unsere Namen und unser Gesicht
Und über dem geschwinderen Aufbruch
Vergaßen wir unseres Aufbruchs Ziel.
Aber wir bitten euch
Zu uns zu treten und
Uns Wasser zu geben
Und unter den Kopf ein Kissen
Und uns zu helfen, denn
Wir wollen nicht sterben.

Der Chor wendet sich an die Menge:
Hört ihr, vier Menschen
Bitten euch, ihnen zu helfen.
Sie sind
In die Luft geflogen und
Auf den Boden gefallen und
Wollen nicht sterben.
Darum bitten sie euch
Ihnen zu helfen.
Hier haben wir
Einen Becher mit Wasser und
Ein Kissen.
Ihr aber sagt uns
Ob wir ihnen helfen sollen.

Die Menge antwortet dem Chor:
Ja.

Der Chor zur Menge:
Haben sie euch geholfen?

Die Menge:
Nein.

Der Sprecher wendet sich an die Menge:
Über die Erkaltenden hinweg* wird untersucht, ob
Es üblich ist, daß der Mensch dem Menschen hilft.

III
UNTERSUCHUNGEN
OB DER MENSCH DEM MENSCHEN HILFT

ERSTE UNTERSUCHUNG

Der Führer des gelernten Chors tritt vor:
Einer von uns ist über das Meer gefahren und
Hat einen neuen Kontinent entdeckt.
Viele aber nach ihm
Haben aufgebaut dort große Städte mit
Vieler Mühe und Klugheit.

Der gelernte Chor erwidert:
Das Brot wurde dadurch nicht billiger.*

Der Führer des gelernten Chors:
Einer von uns hat eine Maschine gemacht
Durch die Dampf ein Rad trieb und das war
Die Mutter vieler Maschinen.
Viele aber arbeiten daran
Alle Tage.

Der gelernte Chor erwidert:
Das Brot wurde dadurch nicht billiger.

Der Führer des gelernten Chors:
Viele von uns haben nachgedacht
Über den Gang der Erde um die Sonne,* über
Das Innere des Menschen, die Gesetze
Der Allgemeinheit, die Beschaffenheit der Luft
Und den Fisch der Tiefsee.
Und sie haben
Große Dinge gefunden.

Der gelernte Chor erwidert:
Das Brot wurde dadurch nicht billiger.
Sondern
Die Armut hat zugenommen in unseren Städten
Und es weiß seit langer Zeit
Niemand mehr, was ein Mensch ist.
Zum Beispiel: während ihr flogt, kroch
Ein euch Ähnliches vom Boden
Nicht wie ein Mensch!

Der Führer des gelernten Chors wendet sich an die Menge:
Hilft der Mensch also dem Menschen?

Die Menge erwidert:
Nein.

ZWEITE UNTERSUCHUNG

Der Führer des gelernten Chors wendet sich an die Menge:
Betrachtet unsere Bilder und sagt danach
Daß der Mensch dem Menschen hilft!

Es werden zwanzig Photographien gezeigt, die darstellen, wie in unserer Zeit Menschen von Menschen abgeschlachtet werden.

Die Menge schreit:
Der Mensch hilft dem Menschen nicht.

DRITTE UNTERSUCHUNG

Der Führer des gelernten Chors wendet sich an die Menge:
Betrachtet unsere Clownsnummer,* in der
Menschen einem Menschen helfen!

Drei Zirkusclowns, von denen einer, Herr Schmitt genannt, ein Riese ist, besteigen das Podium. Sie sprechen sehr laut.

EINSER: Heute ist ein schöner Abend, Herr Schmitt.
ZWEIER: Was sagen Sie zu dem Abend, Herr Schmitt?

HERR SCHMITT: Ich finde ihn nicht schön.

EINSER: Wollen Sie sich nicht setzen, Herr Schmitt?

ZWEIER: Hier ist ein Stuhl, Herr Schmitt, warum antworten Sie uns jetzt nicht?

EINSER: Kannst du nicht sehen: Herr Schmitt wünscht den Mond zu betrachten.

ZWEIER: Du, sag mir einmal, warum kriechst du Herrn Schmitt immer in den Arsch?* Das belästigt Herrn Schmitt.

EINSER: Weil Herr Schmitt so stark ist, darum krieche ich Herrn Schmitt in den Arsch.

ZWEIER: Ich auch.

EINSER: Bitte Herrn Schmitt, sich zu uns zu setzen.

HERR SCHMITT: Mir ist heute nicht gut.

EINSER: Da müssen Sie sich aufheitern, Herr Schmitt.

HERR SCHMITT: Ich glaube, ich kann mich nicht mehr aufheitern. (*Pause*) Was habe ich denn für eine Gesichtsfarbe?

EINSER: Rosig, Herr Schmitt, immer rosig.

HERR SCHMITT: Sehen Sie, und ich glaubte, ich sähe weiß aus im Gesicht.

EINSER: Das ist aber merkwürdig, Sie sagen, Sie meinen, Sie sähen weiß aus im Gesicht? Wenn ich Sie nämlich jetzt so ansehe, da muß ich schon sagen, ich meine jetzt auch, Sie sähen weiß aus im Gesicht.

ZWEIER: Da würde ich mich aber setzen, Herr Schmitt, wo* Sie doch so aussehen.

HERR SCHMITT: Ich möchte mich heute nicht setzen.

EINSER: Nein, nein, nicht setzen, auf keinen Fall setzen, lieber stehen bleiben.

HERR SCHMITT: Warum, meinen Sie, soll ich stehen bleiben?

EINSER (*zum Zweier*): Er kann sich heute nicht setzen, weil er sonst vielleicht nie wieder aufstehen kann.

HERR SCHMITT: Ach Gott!

EINSER: Hören Sie, er merkt es schon selber. Da bleibt der Herr Schmitt schon lieber stehen.

HERR SCHMITT: Sagen Sie, ich glaube fast, mein linker Fuß tut mir etwas weh.

EINSER: Sehr?

HERR SCHMITT (*wehleidig*): Wie?
EINSER: Tut er Ihnen sehr weh?
HERR SCHMITT: Ja, er tut mir sehr weh . . .
ZWEIER: Das kommt vom Stehen.
HERR SCHMITT: Ja, soll ich mich setzen?
EINSER: Nein, auf keinen Fall, das müssen wir vermeiden.
ZWEIER: Wenn Ihnen der linke Fuß weh tut, dann gibt es nur eines: weg mit dem linken Fuß.
EINSER: Und je rascher, desto besser.
HERR SCHMITT: Ja, wenn Sie glauben . . .
ZWEIER: Natürlich.

Sie sägen ihm den linken Fuß ab.

HERR SCHMITT: Einen Stock, bitte.

Sie geben ihm einen Stock.

EINSER: Nun, können Sie jetzt besser stehen, Herr Schmitt?
HERR SCHMITT: Ja, links. Den Fuß müßt ihr mir aber geben, ich möchte ihn nicht verlieren.
EINSER: Bitte, wenn Sie Mißtrauen haben . . .
ZWEIER: Wir können ja auch gehen . . .
HERR SCHMITT: Nein, nein, jetzt müßt ihr dableiben, weil ich doch nicht mehr gehen kann allein.
EINSER: Hier ist der Fuß.

Herr Schmitt nimmt den Fuß unter den Arm.

HERR SCHMITT: Jetzt ist mir mein Stock heruntergefallen.
ZWEIER: Dafür haben Sie ja jetzt Ihren Fuß wieder.

Beide lachen schallend.

HERR SCHMITT: Jetzt kann ich wirklich nicht mehr stehen. Denn jetzt fängt natürlich auch das andere Bein an wehe zu tun.
EINSER: Das läßt sich denken.

HERR SCHMITT: Ich möchte Sie nicht mehr belästigen als nötig ist, aber ohne den Stock kann ich schwer auskommen.

ZWEIER: Bis wir den Stock aufheben, können wir Ihnen gerade so gut das andere Bein absägen, das Ihnen ja sehr weh tut.

HERR SCHMITT: Ja, vielleicht ist es dann besser.

Sie sägen ihm das andere Bein ab. Herr Schmitt fällt um.

HERR SCHMITT: Jetzt kann ich nicht mehr aufstehen.

EINSER: Scheußlich, und gerade das wollten wir unbedingt vermeiden, daß Sie sitzen.

HERR SCHMITT: Was?!

ZWEIER: Sie können nicht mehr aufstehen, Herr Schmitt.

HERR SCHMITT: Sagen Sie mir das nicht, das tut mir weh.

ZWEIER: Was soll ich nicht mehr sagen?

HERR SCHMITT: Das . . .

ZWEIER: Daß Sie nicht mehr aufstehen können?

HERR SCHMITT: Können Sie denn nicht Ihren Mund halten?

ZWEIER: Nein, Herr Schmitt, aber ich kann Ihnen Ihr linkes Ohr herausschrauben, dann hören Sie mich nicht mehr sagen, daß Sie nicht aufstehen können.

HERR SCHMITT: Ja, vielleicht ist das besser.

Sie schrauben ihm sein linkes Ohr ab.

HERR SCHMITT (*zum Einser*): Jetzt kann ich nur mehr Sie hören. (*Zweier geht herüber auf die andere Seite.*) Bitte um das Ohr! (*Wird wütend.*) Und bitte auch um das fehlende zweite Bein. Das ist keine Art, einen kranken Menschen zu behandeln. Liefern Sie sofort die in Verlust geratenen Gliedmaßen an mich, ihren Eigentümer, zurück. (*Sie geben ihm auch das andere Bein unter den Arm und legen ihm das Ohr in den Schoß.*) Überhaupt, wenn Sie hier etwa mit mir ihren Schabernack treiben wollen, so haben Sie sich gründlich* – was ist denn nur mit meinem Arm?

ZWEIER: Das wird eben sein, weil Sie dies viele nutzlose Zeug schleppen.

HERR SCHMITT (*leise*): Sicher. Könntet ihr es mir nicht abnehmen?

ZWEIER: Aber wir könnten Ihnen ja den ganzen Arm abnehmen, das ist dann doch besser.

HERR SCHMITT: Ja, bitte, wenn ihr meint . . .

ZWEIER: Natürlich.

Sie sägen ihm den linken Arm ab.

HERR SCHMITT: Danke, ihr macht euch viel zu viel Mühe mit mir.

EINSER: So, Herr Schmitt, da haben Sie alles, was Ihnen gehört, das kann Ihnen keiner mehr rauben.

Sie legen ihm alle abgenommenen Gliedmaßen in den Schoß. Herr Schmitt betrachtet sie.

HERR SCHMITT: Komisch, ich habe so unangenehme Gedanken im Kopf. Ich bitte Sie (*zu Einser*), mir etwas Angenehmes zu sagen.

ZWEIER: Gerne, Herr Schmitt, wollen Sie eine Geschichte hören? Zwei Herren kommen aus einem Gasthaus. Da sie in einen furchtbaren Streit geraten, bewerfen sie sich mit Pferdeäpfeln, der eine trifft den anderen mit einem Pferdeapfel in den Mund, da sagt der andere: so, den lasse ich jetzt drinnen, bis die Polizei kommt. (*Zweier lacht, Herr Schmitt lacht nicht.*)

HERR SCHMITT: Das ist keine schöne Geschichte. Können Sie mir nicht etwas Schönes erzählen, ich habe, wie gesagt, unangenehme Gedanken im Kopf.

ZWEIER: Nein, leider, Herr Schmitt, außer dieser Geschichte wüßte ich nichts mehr zu erzählen.

ZWEIER: Aber wir können Ihnen ja den Kopf absägen, wenn Sie so dumme Gedanken drin haben.

HERR SCHMITT: Ja, bitte, vielleicht hilft das.

Sie sägen ihm die obere Kopfhälfte ab.

EINSER: Wie ist Ihnen jetzt, Herr Schmitt, ist Ihnen leichter?

HERR SCHMITT: Ja, viel leichter. Jetzt ist mir viel leichter. Nur, es friert mich sehr am Kopf.

ZWEIER: Setzen Sie doch ihren Hut auf. (*Brüllt*) Hut aufsetzen!

HERR SCHMITT: Ich kann doch nicht herunterlangen.

ZWEIER: Wollen Sie den Stock haben?

HERR SCHMITT: Ja, bitte. (*Er fischt nach dem Hut.*) Jetzt ist mir der Stock heruntergefallen, da kann ich den Hut nicht erreichen. Es friert mich sehr stark.

ZWEIER: Wenn wir Ihnen den Kopf überhaupt herausschraubten?

HERR SCHMITT: Ja, ich weiß nicht ...

EINSER: Doch ...

HERR SCHMITT: Nein, wirklich, ich weiß schon gar nichts mehr.

ZWEIER: Eben deshalb.

Sie schrauben ihm den Kopf heraus. Herr Schmitt fällt hintenüber.

HERR SCHMITT: Halt!! Leg mir doch einer die Hand auf die Stirn!

EINSER: Wo?

HERR SCHMITT: Faß mich doch einer an der Hand.

EINSER: Wo?

ZWEIER: Ist Ihnen jetzt leichter, Herr Schmitt?

HERR SCHMITT: Nein. Ich liege nämlich mit meinem Rücken auf einem Stein.

ZWEIER: Ja, Herr Schmitt, alles können Sie nicht haben.

Die beiden lachen schallend.

(*Ende der Clownsnummer*)

Die Menge schreit:
Der Mensch hilft dem Menschen nicht.

Der Führer des gelernten Chors:
Sollen wir das Kissen zerreißen?

Die Menge:
Ja.

Der Führer des gelernten Chors:
Sollen wir das Wasser ausschütten?

Die Menge:
Ja.

IV
DIE HILFEVERWEIGERUNG

Der gelernte Chor:
Also
Soll ihnen nicht geholfen werden.
Wir zerreißen das Kissen, wir
Schütten das Wasser aus.

Der Sprecher zerreißt jetzt das Kissen und schüttet das Wasser aus.

Die Menge liest für sich:
Freilich saht ihr
Hilfe an manchem Ort
Mancherlei Art, erzeugt durch den Zustand
Der noch nicht zu entbehrenden
Gewalt.*
Dennoch raten wir euch, der grausamen
Wirklichkeit
Grausamer zu begegnen und
Mit dem Zustand, der den Anspruch erzeugt
Aufzugeben den Anspruch. Also
Nicht zu rechnen mit Hilfe:
Um Hilfe zu verweigern, ist Gewalt nötig
Um Hilfe zu erlangen, ist auch Gewalt nötig.
Solange Gewalt herrscht, kann Hilfe verweigert werden

Wenn keine Gewalt mehr herrscht, ist keine Hilfe mehr nötig.
Also sollt ihr nicht Hilfe verlangen, sondern die Gewalt abschaffen.
Hilfe und Gewalt geben ein Ganzes.
Und das Ganze muß verändert werden.

V
DIE BERATUNG

Der gestürzte Flieger:
Kameraden, wir
Werden sterben.

Die drei gestürzten Monteure:
Wir wissen, daß wir sterben werden, aber
Weißt du es?
Höre also:
Du stirbst unbedingt
Dein Leben wird dir entrissen
Deine Leistung wird dir gestrichen
Du stirbst für dich
Es wird dir nicht zugesehen
Du stirbst endlich
Und so müssen wir auch.

VI
BETRACHTUNG DER TOTEN

Der Sprecher:
Betrachtet die Toten!

Es werden sehr groß zehn Photographien von Toten gezeigt, dann sagt der Sprecher: „Zweite Betrachtung der Toten" und die Photographien werden noch einmal gezeigt.

Nach der Betrachtung der Toten beginnen die Gestürzten zu schreien:
Wir können nicht sterben.

VII
DIE VERLESUNG DER KOMMENTARTEXTE

Der gelernte Chor wendet sich an die Gestürzten:
Wir können euch nicht helfen.
Nur eine Anweisung
Nur eine Haltung
Können wir euch geben.
Sterbt, aber lernt
Lernt, aber lernt nicht falsch.

Die Gestürzten:
Wir haben nicht viel Zeit
Wir können nicht mehr viel lernen.

Der gelernte Chor:
Habt ihr wenig Zeit
Habt ihr Zeit genug
Denn das Richtige ist leicht.

*Aus dem gelernten Chor tritt der Sprecher mit einem Buch. Er begibt sich zu den Gestürzten, setzt sich und liest aus dem Kommentar.**

Der Sprecher:
(1) Wer etwas entreißt, der wird etwas festhalten. Und wem etwas entrissen wird, der wird es auch festhalten. Und wer etwas festhält, dem wird etwas entrissen.
Welcher von uns stirbt, was gibt der auf? Der gibt doch nicht nur seinen Tisch oder sein Bett auf! Wer von uns stirbt, der weiß auch, ich gebe auf, was da vorhanden ist, mehr als ich habe, schenke ich weg. Wer von uns stirbt, der gibt die Straße auf, die er kennt, und auch, die er nicht kennt. Die Reichtümer, die

er hat, und auch, die er nicht hat. Die Armut selbst. Seine eigene Hand.
Wie nun wird der einen Stein heben, der nicht geübt ist? Wie wird der einen großen Stein heben? Wie wird, der das Aufgeben nicht geübt hat, seinen Tisch aufgeben oder: alles aufgeben, was er hat und was er nicht hat? Die Straße, die er kennt, und auch, die er nicht kennt. Die Reichtümer, die er hat, und auch, die er nicht hat? Die Armut selbst? Seine eigene Hand?
(2) Als der Denkende in einen großen Sturm kam, saß er in einem großen Fahrzeug und nahm viel Platz ein. Das Erste war, daß er aus seinem Fahrzeug stieg, das Zweite war, daß er seinen Rock ablegte, das Dritte war, daß er sich auf den Boden legte. So überwand er den Sturm in seiner kleinsten Größe.

Die Gestürzten erkundigen sich beim Sprecher:
Überstand er so den Sturm?

Der Sprecher:
In seiner kleinsten Größe überstand er den Sturm.

Die Gestürzten:
In seiner kleinsten Größe überstand er den Sturm.

Der Sprecher:
(3) Um einen Menschen zu seinem Tode zu ermutigen, bat der eingreifend Denkende ihn, seine Güter aufzugeben. Als er alles aufgegeben hatte, blieb nur das Leben übrig. Gib mehr auf, sagte der Denkende.
(4) Wenn der Denkende den Sturm überwand, so überwand er ihn, weil er den Sturm kannte und er einverstanden war mit dem Sturm. Also, wenn ihr das Sterben überwinden wollt, so überwindet ihr es, wenn ihr das Sterben kennt und einverstanden seid mit dem Sterben. Wer aber den Wunsch hat, einverstanden zu sein, der hält bei der Armut. An die Dinge hält er sich nicht! Die Dinge können genommen werden und dann ist da kein Einverständnis. Auch an das Leben hält er sich nicht. Das Leben wird genommen werden und dann ist da kein Einverständnis.

Auch an die Gedanken hält er sich nicht, die Gedanken können auch genommen werden und dann ist da auch kein Einverständnis.

VIII
DAS EXAMEN

I

Der gelernte Chor examiniert die Gestürzten im Angesicht der Menge.

Der gelernte Chor:
Wie hoch seid ihr geflogen?

Die drei gestürzten Monteure:
Wir sind ungeheuer hoch geflogen.

Der gelernte Chor:
Wie hoch seid ihr geflogen?

Die gestürzten Monteure:
Wir sind viertausend Meter hoch geflogen.

Der gelernte Chor:
Wie hoch seid ihr geflogen?

Die gestürzten Monteure:
Wir sind ziemlich hoch geflogen.

Der gelernte Chor:
Wie hoch seid ihr geflogen?

Die gestürzten Monteure:
Wir haben uns etwas über den Boden erhoben.

Der Führer des gelernten Chors wendet sich an die Menge:
Sie haben sich etwas über den Boden erhoben.

Der gestürzte Flieger:
Ich bin ungeheuer hoch geflogen.

Der gelernte Chor:
Und er ist ungeheuer hoch geflogen.

2

Der gelernte Chor:
Wurdet ihr gerühmt?

Die gestürzten Monteure:
Wir wurden nicht genug gerühmt.

Der gelernte Chor:
Wurdet ihr gerühmt?

Die gestürzten Monteure:
Wir wurden gerühmt.

Der gelernte Chor:
Wurdet ihr gerühmt?

Die gestürzten Monteure:
Wir wurden genug gerühmt.

Der gelernte Chor:
Wurdet ihr gerühmt?

Die gestürzten Monteure:
Wir wurden ungeheuer gerühmt.

Der gestürzte Flieger:
Ich wurde nicht genug gerühmt.

Der gelernte Chor:
Und er wurde nicht genug gerühmt.

3

Der gelernte Chor:
Wer seid ihr?

Die gestürzten Monteure:
Wir sind die, die den Ozean überflogen.

Der gelernte Chor:
Wer seid ihr?

Die gestürzten Monteure:
Wir sind einige von euch.

Der gelernte Chor:
Wer seid ihr?

Die gestürzten Monteure:
Wir sind niemand.

Der Führer des gelernten Chors zur Menge:
Sie sind niemand.

Der gestürzte Flieger:
Ich bin Charles Nungesser.*

Der gelernte Chor:
Und er ist Charles Nungesser.

4

Der gelernte Chor:
Wer wartet auf euch?

Die gestürzten Monteure:
Viele über dem Meer warten auf uns.

Der gelernte Chor:
Wer wartet auf euch?

Die gestürzten Monteure:
Unser Vater und unsere Mutter warten auf uns.

Der gelernte Chor:
Wer wartet auf euch?

Die gestürzten Monteure:
Niemand wartet auf uns.

Der Führer des gelernten Chors zur Menge:
Niemand wartet auf sie.

5

Der gelernte Chor:
Wer also stirbt, wenn ihr sterbt?

Die gestürzten Monteure:
Die zuviel gerühmt wurden.

Der gelernte Chor:
Wer also stirbt, wenn ihr sterbt?

Die gestürzten Monteure:
Die sich etwas über den Boden erhoben.

Der gelernte Chor:
Wer also stirbt, wenn ihr sterbt?

Die gestürzten Monteure:
Auf die niemand wartet.

Der gelernte Chor:
Wer also stirbt, wenn ihr sterbt?

Die gestürzten Monteure:
Niemand.

Der gelernte Chor:
Jetzt wißt ihr:
Niemand
Stirbt, wenn ihr sterbt.
Jetzt haben sie
Ihre kleinste Größe erreicht.

Der gestürzte Flieger:
Aber ich habe mit meinem Fliegen
Meine größte Größe erreicht.
Wie hoch immer ich flog, höher flog
Niemand.
Ich wurde nicht genug gerühmt, ich
Kann nicht genug gerühmt werden
Ich bin für nichts und niemand geflogen.
Ich bin für das Fliegen geflogen.
Niemand wartet auf mich, ich
Fliege nicht zu euch hin, ich
Fliege von euch weg, ich
Werde nie sterben.

IX
RUHM UND ENTEIGNUNG

Der gelernte Chor:
Jetzt aber
Zeigt, was ihr erreicht habt.
Denn nur
Das Erreichte ist wirklich.
Gebt also jetzt den Motor her
Tragflächen und Fahrgestell, alles
Womit du geflogen bist und

Was ihr gemacht habt.
Gebt es auf!

Der gestürzte Flieger:
Ich gebe es nicht auf.
Was ist
Ohne den Flieger das Flugzeug?

Der Führer des gelernten Chors:
Nehmt es!

Das Flugzeug wird von den Gestürzten weg in die andere Ecke des Podiums getragen.

Der gelernte Chor, während der Enteignung, rühmt die Gestürzten:
Erhebt euch, Flieger, ihr habt die Gesetze der Erde verändert.
Tausend Jahre fiel alles von oben nach unten
Ausgenommen der Vogel.
Selbst auf den ältesten Steinen
Fanden wir keine Zeichnung
Von irgendeinem Menschen, der
Durch die Luft geflogen ist
Aber ihr habt euch erhoben
Gegen Ende des zweiten Jahrtausends unserer Zeitrechnung.

Die drei gestürzten Monteure zeigen plötzlich auf den gestürzten Flieger:
Was ist das, seht doch!

Der Führer schnell zum gelernten Chor:
Stimmt das „Völlig unkenntlich" an.

Der gelernte Chor umringt den gestürzten Flieger:
Völlig unkenntlich
Ist jetzt sein Gesicht
Erzeugt zwischen ihm und uns, denn
Der uns brauchte und

Dessen wir bedurften: das
War er.

Der Führer des gelernten Chors:
Dieser
Inhaber eines Amts
Wenn auch angemaßt
Entriß uns, was er brauchte, und
Verweigerte uns, dessen* wir bedurften.
Also sein Gesicht
Verlosch mit seinem Amt:
Er hatte nur eines!

Vier aus dem gelernten Chor diskutieren über ihn hinweg.

Der Erste:
Wenn es ihn gab –

Der Zweite:
Es gab ihn.

Der Erste:
Was war er?

Der Zweite:
Er war niemand.

Der Dritte:
Wenn er einer war –

Der Vierte:
Er war niemand.

Der Dritte:
Wie sichtete man ihn?

Der Vierte:
Indem man ihn beschäftigte.

Alle vier:
Indem man ihn anruft, entsteht er.
Wenn man ihn verändert, gibt es ihn.
Wer ihn braucht, der kennt ihn.
Wem er nützlich ist, der vergrößert ihn.

Der Zweite:
Und doch ist er niemand.

Der gelernte Chor zusammen zur Menge:
Was da liegt ohne Amt
Ist es nichts Menschliches mehr.
Stirb jetzt, du Keinmenschmehr!

Der gestürzte Flieger:
Ich kann nicht sterben.

Die gestürzten Monteure:
Du bist aus dem Fluß gefallen, Mensch.
Du bist nicht im Fluß gewesen, Mensch.
Du bist zu groß, du bist zu reich.
Du bist zu eigentümlich.
Darum kannst du nicht sterben.

Der gelernte Chor:
Aber
Wer nicht sterben kann
Stirbt auch.
Wer nicht schwimmen kann
Schwimmt auch.

X
DIE AUSTREIBUNG

Der gelernte Chor:
Einer von uns
An Gesicht, Gestalt und Gedanke

Uns gleichend durchaus
Muß uns verlassen, denn
Er ist gezeichnet* über Nacht und
Seit heute morgen ist sein Atem faulig.
Seine Gestalt verfällt, sein Gesicht
Einst uns vertraut, wird schon unbekannt.
Mensch, rede mit uns, wir erwarten
An dem gewohnten Platz deine Stimme. Sprich!

Er spricht nicht. Seine Stimme
Bleibt aus. Jetzt erschrick nicht, Mensch, aber
Jetzt mußt du weggehen. Gehe rasch!
Blick dich nicht um, geh
Weg von uns.

Der Sänger des gestürzten Fliegers verläßt das Podium.

XI
DAS EINVERSTÄNDNIS

Der gelernte Chor redet die drei gestürzten Monteure an:
Ihr aber, die ihr einverstanden seid mit dem Fluß der Dinge
Sinkt nicht zurück in das Nichts.
Löst euch nicht auf wie Salz im Wasser, sondern
Erhebt euch
Sterbend euren Tod wie
Ihr gearbeitet habt eure Arbeit*
Umwälzend eine Umwälzung.*
Richtet euch also sterbend*
Nicht nach dem Tod
Sondern übernehmt von uns den Auftrag
Wieder aufzubauen unser Flugzeug.
Beginnt!
Um für uns zu fliegen
An den Ort, wo wir euch brauchen
Und zu der Zeit, wo es nötig ist. Denn

Euch
Fordern wir auf, mit uns zu marschieren und mit uns
Zu verändern nicht nur
Ein Gesetz der Erde, sondern
Das Grundgesetz
Einverstanden, daß alles verändert wird*
Die Welt und die Menschheit
Vor allem die Unordnung
Der Menschenklassen, weil es zweierlei Menschen gibt
Ausbeutung und Unkenntnis.

Die gestürzten Monteure:
Wir sind einverstanden mit der Änderung.

Der gelernte Chor:
Und wir bitten euch
Verändert unsern Motor und verbessert ihn
Auch vergrößert Sicherheit und Geschwindigkeit
Und vergeßt auch nicht das Ziel über dem geschwinderen Aufbruch.

Die gestürzten Monteure:
Wir verbessern die Motoren, die Sicherheit und
Die Geschwindigkeit.

Der gelernte Chor:
Gebt sie auf!

Der Führer des gelernten Chors:
Marschiert!

Der gelernte Chor:
Habt ihr die Welt verbessert, so
Verbessert die verbesserte Welt.
Gebt sie auf!

Der Führer des gelernten Chors:
Marschiert!

Der gelernte Chor:

Habt ihr die Welt verbessernd die Wahrheit vervollständigt, so
Vervollständigt die vervollständigte Wahrheit.
Gebt sie auf!

Der Führer des gelernten Chors:

Marschiert!

Der gelernte Chor:

Habt ihr, die Wahrheit vervollständigend, die Menschheit verändert,
So verändert die veränderte Menschheit.*
Gebt sie auf!

Der Führer des gelernten Chors:

Marschiert!

Der gelernte Chor:

Ändernd die Welt, verändert euch!
Gebt euch auf!

Der Führer des gelernten Chors:

Marschiert!

Der Jasager

(Schuloper)

Mitarbeiter: K. Weill

I

DER GROSSE CHOR

Wichtig zu lernen vor allem ist Einverständnis*
Viele sagen ja, und doch ist da kein Einverständnis
Viele werden nicht gefragt, und viele
Sind einverstanden mit Falschem.* Darum:
Wichtig zu lernen vor allem ist Einverständnis.
(*Der Lehrer in Raum 1, die Mutter und der Knabe in Raum 2.*)

DER LEHRER

Ich bin der Lehrer.* Ich habe eine Schule in der Stadt und habe einen Schüler, dessen Vater tot ist. Er hat nur mehr seine Mutter, die für ihn sorgt. Jetzt will ich zu ihnen gehen und ihnen Lebewohl sagen, denn ich begebe mich in Kürze auf eine Reise in die Berge. Es ist nämlich eine Seuche bei uns ausgebrochen, und in der Stadt jenseits der Berge wohnen einige große Ärzte. (*Er klopft an die Tür.**) Darf ich eintreten?

DER KNABE* (*tritt aus Raum 2 in Raum 1*)

Wer ist da? Oh, der Lehrer ist da, der Lehrer kommt, uns zu besuchen!

DER LEHRER

Warum bist du so lange nicht zur Schule in die Stadt gekommen?

DER KNABE

Ich konnte nicht kommen, weil meine Mutter krank war.

DER LEHRER

Das wußte ich nicht, daß deine Mutter auch krank ist. Bitte, sag ihr gleich, daß ich hier bin.

DER KNABE (*ruft nach 2.*)

Mutter, der Lehrer ist da.

DIE MUTTER* (*sitzt in Raum 2.*)
Bitte ihn, hereinzukommen.

DER KNABE
Bitte, treten Sie ein.
(*Sie treten beide in Raum 2.*)

DER LEHRER
Ich bin lange nicht hier gewesen. Ihr Sohn sagt, die Krankheit hat auch Sie ergriffen. Geht es Ihnen jetzt besser?

DIE MUTTER
Leider geht es mir nicht besser,* da man gegen die Krankheit ja bis jetzt keine Medizin kennt.

DER LEHRER
Man muß etwas finden. Daher komme ich, um Ihnen Lebewohl zu sagen: morgen begebe ich mich auf eine Reise über die Berge, um Medizin zu holen und Unterweisung. Denn in der Stadt jenseits der Berge sind die großen Ärzte.*

DIE MUTTER
Eine Hilfsexpedition* in die Berge! Ja, in der Tat, ich habe gehört, daß die großen Ärzte dort wohnen, aber ich habe auch gehört, daß es eine gefährliche Wanderung ist. Wollen Sie etwa mein Kind mitnehmen?

DER LEHRER
Das ist keine Reise, auf die man ein Kind mitnimmt.

DIE MUTTER
Gut. Ich hoffe, Sie kehren gesund zurück.

DER LEHRER
Jetzt muß ich gehen. Leben Sie wohl.
(*Ab in Raum 1.*)

DER KNABE (*folgt dem Lehrer nach Raum 1.*)
Ich muß etwas sagen.
(*Die Mutter horcht an der Tür.*)

DER LEHRER
Was willst du sagen?

DER KNABE
Ich will mit Ihnen in die Berge gehen.

DER LEHRER
Wie ich deiner Mutter bereits sagte

Ist es eine schwierige und
Gefährliche Reise. Du wirst nicht
Mitkommen können. Außerdem:
Wie kannst du deine Mutter
Verlassen wollen, die doch krank ist?
Bleibe hier. Es ist ganz
Unmöglich, daß du mitkommst.

DER KNABE

Eben weil meine Mutter krank ist
Will ich mitgehen, um für sie
Bei den großen Ärzten in der Stadt jenseits der Berge
Medizin zu holen und Unterweisung.*

DER LEHRER

Ich muß noch einmal mit deiner Mutter reden.
(*Er geht nach Raum 1 zurück. Der Knabe horcht an der Tür.*)

DER LEHRER

Ich bin noch einmal zurückgekommen. Ihr Sohn sagt, daß er mit uns gehen will. Ich sagte ihm, daß er Sie doch nicht verlassen könnte, wenn Sie krank sind, und daß es eine schwierige und gefährliche Reise sei. Er könne ganz unmöglich mitkommen, sagte ich. Aber er sagte, er müsse mit, um für Ihre Krankheit in der Stadt jenseits der Berge Medizin zu holen und Unterweisung.

DIE MUTTER

Ich habe seine Worte gehört. Ich zweifle nicht an dem, was der Knabe sagt – daß er gern mit Ihnen die gefährliche Wanderung machen will. Komm herein, mein Sohn!
(*Der Knabe tritt in Raum 2.*)
Seit dem Tag, an dem
Uns dein Vater verließ
Habe ich niemanden
Als dich zur Seite.
Du warst nie länger
Aus meinem Gedächtnis und aus meinen Augen*
Als ich brauchte, um
Dein Essen zu bereiten
Deine Kleider zu richten und
Das Geld zu beschaffen.*

DER KNABE

Alles ist, wie du sagst. Aber trotzdem kann mich nichts von meinem
Vorhaben abbringen.

DER KNABE, DIE MUTTER, DER LEHRER*

Ich werde (er wird) die gefährliche Wanderung machen
Und für deine (meine, ihre) Krankheit
In der Stadt jenseits der Berge
Medizin holen und Unterweisung.

DER GROSSE CHOR

Sie sahen, daß keine Vorstellungen
Ihn rühren konnten.
Da sagten* der Lehrer und die Mutter
Mit einer Stimme:

DER LEHRER, DIE MUTTER

Viele sind einverstanden mit Falschem, aber er
Ist nicht einverstanden mit der Krankheit, sondern
Daß die Krankheit geheilt wird.

DER GROSSE CHOR

Die Mutter aber sagte:

DIE MUTTER

Ich habe keine Kraft mehr.
Wenn es sein muß
Geh mit dem Herrn Lehrer.
Aber schnell, schnell
Kehre aus der Gefahr zurück.

II

DER GROSSE CHOR*

Die Leute haben die Reise
In die Berge angetreten.
Unter ihnen befanden sich der Lehrer
Und der Knabe.
Der Knabe war den Anstrengungen nicht gewachsen:*
Er überanstrengte sein Herz

Das die schnelle Heimkehr verlangte.
Beim Morgengrauen am Fuße der Berge
Konnte er kaum seine müden
Füße mehr schleppen.
(Es treten in Raum 1: der Lehrer, die 3 Studenten, zuletzt der Knabe mit einem Krug.)

DER LEHRER
Wir sind schnell hinangestiegen. Dort ist die erste Hütte. Dort wollen wir ein wenig verweilen.

DIE 3 STUDENTEN*
Wir gehorchen.
(Sie treten auf das Podest in Raum 2. Der Knabe hält den Lehrer zurück.)*

DER KNABE
Ich muß etwas sagen.

DER LEHRER
Was willst du sagen?

DER KNABE
Ich fühle mich nicht wohl.

DER LEHRER
Halt! Solche Dinge dürfen nicht sagen, die auf eine solche Reise gehen. Vielleicht bist du müde, weil du das Steigen nicht gewohnt bist. Bleib ein wenig stehen und ruhe ein wenig.
(Er tritt auf das Podest.)

DIE 3 STUDENTEN
Es scheint, daß der Knabe müde ist vom Steigen. Wir wollen den Lehrer darüber befragen.

DER GROSSE CHOR
Ja. Tut das!

DIE 3 STUDENTEN *(zum Lehrer)*
Wir hören, daß dieser Knabe müde ist vom Steigen. Was ist mit ihm?
Bist du besorgt seinetwegen?

DER LEHRER
Er fühlt sich nicht wohl, aber sonst ist alles in Ordnung mit ihm.
Er ist müde vom Steigen.

DIE 3 STUDENTEN

So bist du also nicht besorgt seinetwegen?

(*Lange Pause.*)

DIE 3 STUDENTEN (*untereinander*)

Hört ihr? Der Lehrer hat gesagt
Daß der Knabe nur müde sei vom Steigen.
Aber sieht er nicht jetzt ganz seltsam aus?
Gleich nach der Hütte kommt der schmale Grat.*
Nur mit beiden Händen zufassend an der Felswand
Kommt man hinüber.
Hoffentlich ist er nicht krank.
Denn wenn er nicht weiter kann, müssen wir ihn
Hier zurücklassen.

(*Sie rufen nach Raum 1 hinunter, die Hand wie einen Trichter vor dem Mund.*)

Wir wollen jetzt den Lehrer fragen. (*Zum Lehrer*) Als wir vorhin nach dem Knaben fragten, sagtest du, er sei nur müde vom Steigen, aber jetzt sieht er ganz seltsam aus. Er hat sich auch gesetzt.

DER LEHRER

Ich sehe, daß er krank geworden ist. Versucht doch, ihn über den schmalen Grat zu tragen.

DIE 3 STUDENTEN

Wir versuchen es.

Technikum: Die drei Studenten versuchen den Knaben über den „schmalen Grat" zu bringen. Der „schmale Grat" muß von den Spielern aus Podesten, Seilen, Stühlen usw. so konstruiert werden, daß die drei Studenten zwar allein, nicht aber, wenn sie auch noch den Knaben tragen, hinüberkommen.*

DIE 3 STUDENTEN

Wir können ihn nicht hinüberbringen, und wir können nicht bei ihm bleiben. Was auch sei,* wir müssen weiter, denn eine ganze Stadt wartet auf die Medizin, die wir holen sollen. Wir sprechen es mit Entsetzen aus, aber wenn er nicht mit uns gehen kann, müssen wir ihn eben hier im Gebirge liegen lassen.

DER LEHRER

Ja, vielleicht müßt ihr es. Ich kann mich euch nicht widersetzen.

Aber ich halte es für richtig, daß man den, welcher krank wurde, befragt, ob man umkehren soll seinetwegen. Ich trage in meinem Herzen großes Leid um dieses Geschöpf. Ich will zu ihm gehen und ihn schonend auf sein Schicksal vorbereiten.

DIE 3 STUDENTEN

Bitte, tue das.

(*Sie stellen sich mit den Gesichtern gegeneinander.*)

DIE 3 STUDENTEN, DER GROSSE CHOR

Wir wollen ihn fragen (sie fragten ihn), ob er verlangt (verlange)
Daß man umkehrt (umkehre) seinetwegen
Aber auch wenn er es verlangt
Wollen wir (wollten sie) nicht umkehren
Sondern ihn liegenlassen und weitergehen.

DER LEHRER (*ist zu dem Knaben nach 1 hinabgestiegen.*)

Hör gut zu! Da du krank bist und nicht weiter kannst, müssen wir dich hier zurücklassen. Aber es ist richtig, daß man den, welcher krank wurde, befragt, ob man umkehren soll seinetwegen. Und der Brauch* schreibt auch vor, daß der, welcher krank wurde, antwortet: Ihr sollt nicht umkehren.

DER KNABE

Ich verstehe.

DER LEHRER

Verlangst du, daß man umkehren soll deinetwegen?

DER KNABE

Ihr sollt nicht umkehren!

DER LEHRER

Bist du also einverstanden, daß du zurückgelassen wirst?

DER KNABE

Ich will es mir überlegen. (*Pause des Nachdenkens.*) Ja, ich bin einverstanden.

DER LEHRER (*Ruft von Raum 1 nach Raum 2.*)

Er hat der Notwendigkeit gemäß* geantwortet.

DER GROSSE CHOR UND DIE 3 STUDENTEN (*Diese im Hinabgehen nach Raum 1.*)

Er hat ja gesagt: Geht weiter!

(*Die 3 Studenten bleiben stehen.*)

DER LEHRER

Geht jetzt weiter, bleibt nicht stehen
Denn ihr habt beschlossen, weiterzugehen.
(*Die 3 Studenten bleiben stehen.*)

DER KNABE

Ich will etwas sagen: Ich bitte euch, mich nicht hier liegenzulassen, sondern mich ins Tal hinabzuwerfen, denn ich fürchte mich, allein zu sterben.*

DIE 3 STUDENTEN

Das können wir nicht.

DER KNABE

Halt! Ich verlange es.

DER LEHRER

Ihr habt beschlossen, weiterzugehen und ihn dazulassen
Es ist leicht, sein Schicksal zu bestimmen
Aber schwer, es zu vollstrecken.
Seid ihr bereit, ihn ins Tal hinabzuwerfen?

DIE 3 STUDENTEN

Ja.
(*Die 3 Studenten tragen den Knaben auf das Podest in Raum 2.*)
Lehne deinen Kopf an unsern Arm.
Strenge dich nicht an.
Wir tragen dich vorsichtig.*
(*Die 3 Studenten stellen sich vor ihn, ihn verdeckend, an den hinteren Rand des Podiums.*)

DER KNABE (*unsichtbar*)

Ich wußte wohl, daß ich auf dieser Reise
Mein Leben verlieren könnte.
Der Gedanke an meine Mutter
Hat mich verführt zu reisen.
Nehmt meinen Krug
Füllt ihn mit der Medizin
Und bringt ihn meiner Mutter
Wenn ihr zurückkehrt.

DER GROSSE CHOR

Dann nahmen die Freunde den Krug
Und beklagten die traurigen Wege der Welt

Und ihr bitteres Gesetz
Und warfen den Knaben hinab.
Fuß an Fuß standen sie zusammengedrängt
An dem Rande des Abgrunds
Und warfen ihn hinab mit geschlossenen Augen
Keiner schuldiger als sein Nachbar
Und warfen Erdklumpen
Und flache Steine*
Hinterher.

Der Neinsager

(Schuloper)

Mitarbeiter: K. Weill

I

DER GROSSE CHOR

Wichtig zu lernen vor allem ist Einverständnis.
Viele sagen ja, und doch ist da kein Einverständnis
Viele werden nicht gefragt, und viele
Sind einverstanden mit Falschem. Darum:
Wichtig zu lernen vor allem ist Einverständnis.
(*Der Lehrer in Raum 1, die Mutter und der Knabe in Raum 2.*)

DER LEHRER

Ich bin der Lehrer. Ich habe eine Schule in der Stadt und habe einen Schüler, dessen Vater tot ist. Er hat nur mehr seine Mutter, die für ihn sorgt. Jetzt will ich zu ihnen gehen und ihnen Lebewohl sagen, denn ich begebe mich in Kürze auf eine Reise in die Berge. (*Er klopft an die Tür.*) Darf ich eintreten?

DER KNABE (*tritt aus Raum 1 in Raum 2.*)

Wer ist da? Oh, der Herr Lehrer ist da, der Herr Lehrer kommt, uns zu besuchen!

DER LEHRER

Warum bist du so lange nicht zur Schule in die Stadt gekommen?

DER KNABE

Ich konnte nicht kommen, weil meine Mutter krank war.

DER LEHRER

Das wußte ich nicht. Bitte, sag ihr gleich, daß ich hier bin.

DER KNABE (*ruft nach 2.*)

Mutter, der Herr Lehrer ist da.

DIE MUTTER (*sitzt in Raum 2 auf dem Holzstuhl.*)

Bitte ihn, hereinzukommen.

DER KNABE
Bitte, treten Sie ein.
(*Sie treten beide in Raum 2.*)

DER LEHRER
Ich bin lange nicht hier gewesen. Ihr Sohn sagt, Sie seien krank gewesen. Geht es Ihnen jetzt besser?

DIE MUTTER
Machen Sie sich keine Sorgen wegen meiner Krankheit, sie hatte keine bösen Folgen.

DER LEHRER
Das freut mich zu hören. Ich komme, um Ihnen Lebewohl zu sagen, denn ich begebe mich in Kürze auf eine Forschungsreise in die Berge. Denn in der Stadt jenseits der Berge sind die großen Lehrer.

DIE MUTTER
Eine Forschungsreise in die Berge! Ja, in der Tat, ich habe gehört, daß die großen Ärzte dort wohnen, aber ich habe auch gehört, daß es eine gefährliche Wanderung ist. Wollen Sie etwa mein Kind mitnehmen?

DER LEHRER
Das ist keine Reise, auf die man ein Kind mitnimmt.

DIE MUTTER
Gut. Ich hoffe, Sie kehren gesund zurück.

DER LEHRER
Jetzt muß ich gehen. Leben Sie wohl.
(*Ab in Raum 1.*)

DER KNABE (*folgt dem Lehrer nach Raum 1.*)
Ich muß etwas sagen.
(*Die Mutter horcht an der Tür.*)

DER LEHRER
Was willst du sagen?

DER KNABE
Ich will mit Ihnen in die Berge gehen.

DER LEHRER
Wie ich deiner Mutter bereits sagte
Ist es eine schwierige und
Gefährliche Reise. Du wirst nicht

Mitkommen können. Außerdem:
Wie kannst du deine Mutter
Verlassen wollen, die doch krank ist?
Bleibe hier. Es ist ganz
Unmöglich, daß du mitkommst.

DER KNABE

Eben weil meine Mutter krank ist
Will ich mitgehen, um für sie
Bei den großen Ärzten in der Stadt jenseits der Berge
Medizin zu holen und Unterweisung.

DER LEHRER

Aber wärest du denn auch einverstanden mit allem, was dir auf der Reise zustoßen könnte?

DER KNABE

Ja.

DER LEHRER

Ich muß noch einmal mit deiner Mutter reden.
(*Er geht nach Raum 1 zurück. Der Knabe horcht an der Tür.*)

DER LEHRER

Ich bin noch einmal zurückgekommen. Ihr Sohn sagt, daß er mit uns gehen will. Ich sagte ihm, daß er Sie doch nicht verlassen könnte, wenn Sie krank sind, und daß es eine schwierige und gefährliche Reise sei. Er könne ganz unmöglich mitkommen, sagte ich. Aber er sagte, er müsse mit, um für Ihre Krankheit in der Stadt jenseits der Berge Medizin zu holen und Unterweisung.

DIE MUTTER

Ich habe seine Worte gehört. Ich zweifle nicht an dem, was der Knabe sagt – daß er gern mit Ihnen die gefährliche Wanderung machen will. Komm herein, mein Sohn!
(*Der Knabe tritt in Raum 2.*)
Seit dem Tag, an dem
Uns dein Vater verließ
Habe ich niemanden
Als dich zur Seite.
Du warst nie länger
Aus meinem Gedächtnis und aus meinen Augen.
Als ich brauchte, um

Dein Essen zu bereiten
Deine Kleider zu richten und
Das Geld zu beschaffen.

DER KNABE

Alles ist, wie du sagst. Aber trotzdem kann mich nichts von meinem
Vorhaben abbringen.

DER KNABE, DIE MUTTER, DER LEHRER

Ich werde (er wird) die gefährliche Wanderung machen
Und für deine (meine, ihre) Krankheit
In der Stadt jenseits der Berge
Medizin holen und Unterweisung.

DER GROSSE CHOR

Sie sahen, daß keine Vorstellungen
Ihn rühren konnten.
Da sagten der Lehrer und die Mutter
Mit einer Stimme:

DER LEHRER, DIE MUTTER

Viele sind einverstanden mit Falschem, aber er
Ist nicht einverstanden mit der Krankheit, sondern
Daß die Krankheit geheilt wird.

DER GROSSE CHOR

Die Mutter aber sagte:

DIE MUTTER

Ich habe keine Kraft mehr.
Wenn es sein muß
Geh mit dem Herrn Lehrer.
Aber schnell, schnell
Kehre aus der Gefahr zurück.

II

DER GROSSE CHOR

Die Leute haben die Reise
In die Berge angetreten.
Unter ihnen befanden sich der Lehrer
Und der Knabe
Der Knabe war den Anstrengungen nicht gewachsen:

Er überanstrengte sein Herz
Das die schnelle Heimkehr verlangte.
Beim Morgengrauen am Fuße der Berge
Konnte er kaum seine müden
Füße mehr schleppen.
(*Es treten in Raum 1: der Lehrer, die 3 Studenten, zuletzt der Knabe mit einem Krug.*)

DER LEHRER
Wir sind schnell hinangestiegen. Dort ist die erste Hütte. Dort wollen wir ein wenig verweilen.

DIE 3 STUDENTEN
Wir gehorchen.
(*Sie treten auf das Podest in Raum 1. Der Knabe hält den Lehrer zurück.*)

DER KNABE
Ich muß etwas sagen.

DER LEHRER
Was willst du sagen?

DER KNABE
Ich fühle mich nicht wohl.

DER LEHRER
Halt! Solche Dinge dürfen nicht sagen, die auf eine solche Reise gehen. Vielleicht bist du müde, weil du das Steigen nicht gewohnt bist. Bleib ein wenig stehen und ruhe ein wenig.
(*Er tritt auf das Podest.*)

DIE 3 STUDENTEN
Es scheint, daß der Knabe krank ist vom Steigen. Wir wollen den Lehrer darüber befragen.

DER GROSSE CHOR
Ja. Tut das!

DIE 3 STUDENTEN (*zum Lehrer*)
Wir hören, daß dieser Knabe krank ist vom Steigen. Was ist mit ihm?
Bist du besorgt seinetwegen?

DER LEHRER
Er fühlt sich nicht wohl, aber sonst ist alles in Ordnung mit ihm.
Er ist müde vom Steigen.

DIE 3 STUDENTEN
So bist du also nicht besorgt seinetwegen?
(*Lange Pause.*)

DIE 3 STUDENTEN (*untereinander*)
Hört ihr? Der Lehrer hat gesagt
Daß der Knabe nur müde sei vom Steigen.
Aber sieht er nicht jetzt ganz seltsam aus?
Gleich nach der Hütte aber kommt der schmale Grat.
Nur mit beiden Händen zufassend an der Felswand
Kommt man hinüber.
Wir können keinen tragen.
Sollten wir also dem großen Brauch* folgen und ihn
In das Tal hinabschleudern?
(*Sie rufen nach Raum 1 hinunter, die Hand wie einen Trichter vor dem Mund.*)
Bist du krank vom Steigen?

DER KNABE
Nein.
Ihr seht, ich stehe doch.
Würde ich mich nicht setzen
Wenn ich krank wäre?
(*Pause. Der Knabe setzt sich.*)

DIE 3 STUDENTEN
Wir wollen es dem Lehrer sagen. Herr, als wir vorhin nach dem Knaben fragten, sagtest du, er sei nur müde vom Steigen. Aber jetzt sieht er ganz seltsam aus. Er hat sich auch gesetzt. Wir sprechen es mit Entsetzen aus, aber seit alters her herrscht hier ein großer Brauch: die nicht weiter können, werden in das Tal hinabgeschleudert.

DER LEHRER
Was, ihr wollt dieses Kind in das Tal hinabwerfen?

DIE 3 STUDENTEN
Ja, das wollen wir.

DER LEHRER
Das ist ein großer Brauch. Ich kann mich ihm nicht widersetzen. Aber der große Brauch schreibt auch vor, daß man den, welcher krank wurde, befragt, ob man umkehren soll seinetwegen.

Ich trage in meinem Herzen großes Leid um dieses Geschöpf. Ich will zu ihm gehen und ihm schonend von dem großen Brauch berichten.

DIE 3 STUDENTEN

Bitte, tu das.

(*Sie stellen sich mit den Gesichtern gegeneinander.*)

DIE 3 STUDENTEN, DER GROSSE CHOR

Wir wollen ihn fragen (sie fragten ihn), ob er verlangt (verlange)
Daß man umkehrt (umkehre) seinetwegen.
Aber auch, wenn er es verlangte
Wollen wir (wollten sie) nicht umkehren
Sondern ihn in das Tal hinabwerfen.

DER LEHRER (*ist zu dem Knaben in Raum 1 hinabgestiegen.*)

Hör gut zu! Seit alters her besteht das Gesetz, daß der, welcher auf einer solchen Reise krank wurde, ins Tal hinabgeworfen werden muß. Er ist sofort tot. Aber der Brauch schreibt auch vor, daß man den, welcher krank wurde, befragt, ob man umkehren soll seinetwegen, Und der Brauch schreibt auch vor, daß der, welcher krank wurde, antwortet: Ihr sollt nicht umkehren. Wenn ich deine Stelle einnehmen könnte, wie gern würde ich sterben!

DER KNABE

Ich verstehe.

DER LEHRER

Verlangst du, daß man umkehren soll deinetwegen? Oder bist du einverstanden, daß du ins Tal hinabgeworfen wirst, wie der große Brauch es verlangt?

DER KNABE (*nach einer Pause des Nachdenkens.*)

Nein. Ich bin nicht einverstanden.

DER LEHRER (*ruft vom Raum 1 nach Raum 2.*)

Kommt herunter! Er hat nicht dem Brauch gemäß geantwortet!

DIE 3 STUDENTEN (*im Hinabgehen nach Raum 1.*)

Er hat nein gesagt. (*Zum Knaben*) Warum antwortest du nicht dem Brauch gemäß Wer a gesagt hat, der muß auch b sagen.* Als du seinerzeit gefragt wurdest, ob du auch einverstanden sein würdest mit allem, was sich aus der Reise ergeben könnte, hast du mit ja geantwortet.

DER KNABE

Die Antwort, die ich gegeben habe, war falsch, aber eure Frage war falscher. Wer a sagt, der muß nicht* b sagen. Er kann auch erkennen, daß a falsch war. Ich wollte meiner Mutter Medizin holen, aber jetzt bin ich selber krank geworden, es ist also nicht mehr möglich. Und ich will sofort umkehren, der neuen Lage entsprechend. Auch euch bitte ich umzukehren und mich heimzubringen. Euer Lernen kann durchaus warten. Wenn es drüben etwas zu lernen gibt, was ich hoffe, so könnte es nur das sein, daß man in unserer Lage umkehren muß. Und was den alten großen Brauch betrifft,* so sehe ich keine Vernunft an ihm. Ich brauche vielmehr einen neuen großen Brauch, den wir sofort einführen müssen, nämlich den Brauch, in jeder neuen Lage neu nachzudenken.

DIE 3 STUDENTEN (*zum Lehrer*)

Was sollen wir tun? Was der Knabe sagt, ist vernünftig, wenn es auch nicht heldenhaft ist.

DER LEHRER

Ich überlasse es euch, was ihr tun sollt. Aber ich muß euch sagen, daß man euch mit Gelächter und Schande überschütten wird, wenn ihr umkehrt.

DIE 3 STUDENTEN

Ist es keine Schande, daß er für sich selber spricht?

DER LEHRER

Nein. Darin sehe ich keine Schande.

DIE 3 STUDENTEN

Dann wollen wir umkehren, und kein Gelächter und keine Schmähung sollen uns abhalten, das Vernünftige zu tun, und kein alter Brauch uns hindern, einen richtigen Gedanken anzunehmen.
Lehne deinen Kopf an unsern Arm
Strenge dich nicht an
Wir tragen dich vorsichtig.

DER GROSSE CHOR

So nahmen die Freunde den Freund
Und begründeten einen neuen Brauch
Und ein neues Gesetz

Und brachten den Knaben zurück.
Seit an Seit gingen sie zusammengedrängt
Entgegen der Schmähung
Entgegen dem Gelächter, mit offenen Augen
Keiner feiger als sein Nachbar.

Die Massnahme

(Lehrstück)

Mitarbeiter: S. Dudow, H. Eisler

DER KONTROLLCHOR

Tretet vor! Eure Arbeit war glücklich, auch in diesem Lande Marschiert die Revolution,* und geordnet sind die Reihen der Kämpfer auch dort.
Wir sind einverstanden mit euch.

DIE VIER AGITATOREN

Halt, wir müssen etwas sagen! Wir melden den Tod eines Genossen.

DER KONTROLLCHOR

Wer hat ihn getötet?

DIE VIER AGITATOREN

Wir haben ihn getötet. Wir haben ihn erschossen und in eine Kalkgrube geworfen.

DER KONTROLLCHOR

Was hat er getan, daß ihr ihn erschossen habt?

DIE VIER AGITATOREN

Oftmals tat er das Richtige, einige, einige Male das Falsche, aber zuletzt gefährdete er die Bewegung. Er wollte das Richtige und tat das Falsche.* Wir fordern euer Urteil.

DER KONTROLLCHOR

Stellt dar, wie es geschah und warum, und ihr werdet unser Urteil hören.

DIE VIER AGITATOREN

Wir werden euer Urteil anerkennen.

I
DIE LEHREN DER KLASSIKER

DIE VIER AGITATOREN

Wir kamen als Agitatoren aus Moskau, wir sollten in die Stadt Mukden* fahren, um Propaganda zu machen, und in den Betrieben unterstützen die chinesische Partei. Wir sollten uns im Parteihaus melden, welches das letzte nach der Grenze zu* war, und einen Führer anfordern. Da trat uns im Vorzimmer ein junger Genosse entgegen, und wir sprachen von der Art unserer Aufgabe. Wir wiederholen das Gespräch.

(*Sie stellen sich drei gegen einen auf, einer von den vieren stellt den jungen Genossen dar.*)

DER JUNGE GENOSSE

Ich bin der Sekretär des Parteihauses, welches das letzte nach der Grenze zu ist. Mein Herz schlägt für die Revolution. Der Anblick des Unrechts trieb mich in die Reihen der Kämpfer. Der Mensch muß dem Menschen helfen. Ich bin für die Freiheit. Ich glaube an die Menschheit. Und ich bin für die Maßnahmen der kommunistischen Partei, welche gegen Ausbeutung und Unkenntnis für die klassenlose Gesellschaft kämpft.

DIE DREI AGITATOREN

Wir kommen aus Moskau.

DER JUNGE GENOSSE

Wir haben euch erwartet.

DIE DREI AGITATOREN

Warum?

DER JUNGE GENOSSE

Wir kommen nicht weiter. Es gibt Unordnung und Mangel, wenig Brot und viel Kampf. Viele sind voll Mut, aber wenige können lesen. Wenig Maschinen und niemand versteht sie. Unsere Lokomotiven sind in Bruch gefahren.* Habt ihr Lokomotiven mitgebracht?

DIE DREI AGITATOREN

Nein.

DER JUNGE GENOSSE
Habt ihr Traktoren bei euch?

DIE DREI AGITATOREN
Nein.

DER JUNGE GENOSSE
Unsere Bauern spannen sich noch selber vor die alten Holzpflüge. Dabei haben wir nichts, um unsere Äcker zu bestellen. Habt ihr Saatgut mitgebracht?

DIE DREI AGITATOREN
Nein.

DER JUNGE GENOSSE
Bringt ihr wenigstens Munition und Maschinengewehre?

DIE DREI AGITATOREN
Nein.

DER JUNGE GENOSSE
Wir müssen hier zu zweit die Revolution verteidigen. So habt ihr sicher einen Brief des Zentralkomitees an uns, worin steht, was wir tun sollen?

DIE DREI AGITATOREN
Nein.

DER JUNGE GENOSSE
So wollt ihr uns selber helfen?

DIE DREI AGITATOREN
Nein.

DER JUNGE GENOSSE
Wir stehen Tag und Nacht in den Kleidern, gegen den Ansturm des Hungers, des Verfalls und der Gegenrevolution. Ihr aber bringt uns nichts.

DIE DREI AGITATOREN
So ist es: wir bringen nichts für euch. Aber über die Grenze nach Mukden bringen wir den chinesischen Arbeitern die Lehren der Klassiker* und der Propagandisten: das ABC des Kommunismus; den Unwissenden Belehrung über ihre Lage, den Unterdrückten das Klassenbewußtsein und den Klassenbewußten die Erfahrung der Revolution. Von euch aber sollen wir ein Automobil und einen Führer anfordern.

DER JUNGE GENOSSE

So habe ich schlecht gefragt?

DIE DREI AGITATOREN

Nein, auf eine gute Frage folgte eine bessere Antwort. Wir sehen, daß von euch schon das Äußerste verlangt wurde; aber es wird noch mehr von euch verlangt: einer von euch zweien muß uns nach Mukden führen.

DER JUNGE GENOSSE

Ich verlasse also meinen Posten, der zu schwierig war für zwei, für den aber jetzt einer genügen muß. Ich werde mit euch gehen. Vorwärts marschierend, ausbreitend die Lehre der kommunistischen Klassiker: die Weltrevolution.*

DER KONTROLLCHOR

LOB DER U.S.S.R.

Schon beredete die Welt
Unser Unglück.
Aber noch saß an unserm
Kargen Tisch
Aller Unterdrückten Hoffnung, die
Sich mit Wasser begnügt
Und das Wissen belehrte
Hinter zerfallender Tür
Mit deutlicher Stimme die Gäste.
Wenn die Tür zerfällt
Sitzen wir doch nur weiterhin sichtbar
Die der Frost nicht umbringt noch der Hunger
Unermüdlich beratend
Die Geschicke der Welt.

DIE VIER AGITATOREN

So war der junge Genosse von der Grenzstation einverstanden* mit der Art unserer Arbeit, und wir traten, vier Männer und eine Frau, vor den Leiter des Parteihauses.

II
DIE AUSLÖSCHUNG

DIE VIER AGITATOREN

Aber die Arbeit in Mukden war illegal, darum mußten wir, bevor wir die Grenze überschritten, unsere Gesichter auslöschen. Unser junger Genosse war damit einverstanden. Wir wiederholen den Vorgang.

(*Einer der Agitatoren stellt den Leiter des Parteihauses dar.**)

DER LEITER DES PARTEIHAUSES

Ich bin der Leiter des letzten Parteihauses. Ich bin einverstanden, daß der Genosse von meiner Station als Führer mitgeht. Es sind aber Unruhen in den Fabriken von Mukden, und es sieht in diesen Tagen auf diese Stadt die ganze Welt, ob sie nicht einen von uns treten sieht aus den Hütten der chinesischen Arbeiter, und ich höre, es liegen Kanonenboote bereit* auf den Flüssen und Panzerzüge stehen auf den Bahndämmen, um uns sofort anzugreifen, wenn einer von uns dort gesehen wird. Ich veranlasse also die Genossen, als Chinesen über die Grenze zu gehen.

(*Zu den Agitatoren*)

Ihr dürft nicht gesehen werden.

DIE ZWEI AGITATOREN

Wir werden nicht gesehen.

DER LEITER DES PARTEIHAUSES

Wenn einer verletzt wird, darf er nicht gefunden werden.

DIE ZWEI AGITATOREN

Er wird nicht gefunden.

DER LEITER DES PARTEIHAUSES

So seid ihr bereit, zu sterben und zu verstecken den Toten?

DIE ZWEI AGITATOREN

Ja.

DER LEITER DES PARTEIHAUSES

Dann seid ihr nicht mehr ihr selber, du nicht mehr Karl Schmitt* aus Berlin, du nicht mehr Anna Kjersk aus Kasan* und du nicht mehr Peter Sawitsch aus Moskau, sondern allesamt ohne

Namen und Mutter, leere Blätter, auf welche die Revolution ihre Anweisung schreibt.

DIE ZWEI AGITATOREN

Ja.

DER LEITER DES PARTEIHAUSES (*gibt ihnen Masken,* * *sie setzen sie auf.*)

Dann seid ihr von dieser Stunde an nicht mehr Niemand, sondern von dieser Stunde an und wahrscheinlich bis zu eurem Verschwinden unbekannte Arbeiter, Kämpfer, Chinesen, geboren von chinesischen Müttern, gelber Haut, sprechend in Schlaf und Fieber chinesisch.

DIE ZWEI AGITATOREN

Ja.

DER LEITER DES PARTEIHAUSES

Im Interesse des Kommunismus einverstanden mit dem Vormarsch der proletarischen Massen aller Länder, ja sagend zur Revolutionierung der Welt.

DIE ZWEI AGITATOREN

Ja. So zeigte der junge Genosse sein Einverständnis mit der Auslöschung seines Gesichtes.

DER KONTROLLCHOR

Wer für den Kommunismus kämpft,* der muß kämpfen können und nicht kämpfen; die Wahrheit sagen und die Wahrheit nicht sagen; Dienste erweisen und Dienste verweigern; Versprechen halten und Versprechen nicht halten. Sich in Gefahr begeben und die Gefahr vermeiden; kenntlich sein und unkenntlich sein. Wer für den Kommunismus kämpft, hat von allen Tugenden nur eine: daß er für den Kommunismus kämpft.

DIE VIER AGITATOREN

Wir gingen als Chinesen nach Mukden, vier Männer und eine Frau, Propaganda zu machen und zu unterstützen die chinesische Partei durch die Lehren der Klassiker und der Propagandisten, das ABC des Kommunismus; den Unwissenden Belehrung zu bringen über ihre Lage, den Unterdrückten das Klassenbewußtsein und den Klassenbewußten die Erfahrung der Revolution.

DER KONTROLLCHOR

LOB DER ILLEGALEN ARBEIT

Schön ist es
Das Wort zu ergreifen im Klassenkampf.
Laut und schallend aufzurufen zum Kampf die Massen
Zu zerstampfen die Unterdrücker, zu befreien die Unterdrückten.
Schwer ist und nützlich die tägliche Kleinarbeit
Zähes und heimliches Knüpfen
Des Netzes der Partei vor den
Gewehrläufen der Unternehmer:
Reden, aber
Zu verbergen den Redner.
Siegen, aber
Zu verbergen den Sieger.
Sterben, aber
Zu verstecken den Tod.
Wer täte nicht viel für den Ruhm, aber wer
Tuts für das Schweigen?
Aber es lädt der ärmliche Esser die Ehre zu Tisch
Aus der engen und zerfallenden Hütte tritt
Unhemmbar die Größe.
Und der Ruhm fragt umsonst*
Nach den Tätern der großen Tat.*
Tretet vor
Für einen Augenblick
Unbekannte, verdeckten Gesichtes* und empfangt
Unsern Dank!

DIE VIER AGITATOREN

In der Stadt Mukden trieben wir Propaganda unter den Arbeitern. Wir hatten kein Brot für die Hungrigen, sondern nur Wissen für den Unwissenden, darum sprachen wir von dem Urgrund des Elends, merzten das Elend nicht aus, sondern sprachen von der Ausmerzung des Urgrunds.

III

DER STEIN

DIE VIER AGITATOREN

Zuerst gingen wir in die untere Stadt. Da zogen Kulis* einen Kahn an einem Strick vom Ufer aus. Aber der Boden war glatt. Als nun einer ausglitt, und der Aufseher stieß ihn, sagten wir dem jungen Genossen: Folge ihnen und treib Propaganda bei ihnen. Sag ihnen, du habest in Tientsin* Schuhe für Kahnschlepper gesehen, die unten Bretter hatten, so daß sie nicht ausrutschen konnten. Versuche zu erreichen, daß* sie auch solche Schuhe fordern. Verfalle aber nicht dem Mitleid! Und wir fragten: Bist du einverstanden, und er war einverstanden und ging eilig hin und verfiel sofort dem Mitleid. Wir zeigen es. (*Zwei Agitatoren stellen Kulis dar, indem sie an einem Pflock ein Tau anbinden und das Tau über der Schulter ziehen. Einer stellt den jungen Genossen, einer den Aufseher dar.*)

DER AUFSEHER

Ich bin der Aufseher. Ich muß den Reis bis zum Abend in der Stadt Mukden haben.

DIE ZWEI KULIS

Wir sind die Kulis und schleppen den Reiskahn den Fluß herauf.

DIE KULIS

GESANG DER REISKAHNSCHLEPPER

In der Stadt oben am Fluß
Gibt es für uns einen Mund voll Reis
Aber der Kahn ist schwer, der hinauf soll
Und das Wasser fließt nach unten
Wir werden nie hinaufkommen.
  Zieht rascher, die Mäuler
  Warten auf das Essen
  Zieht gleichmäßig, stoßt nicht
  Den Nebenmann.

DER JUNGE GENOSSE

Häßlich zu hören ist die Schönheit, mit der diese Männer zudecken die Qual ihrer Arbeit.

DER AUFSEHER
Zieht rascher.

DIE KULIS
Die Nacht kommt schon bald. Das Lager
Zu klein für eines Hundes Schatten
Kostet einen halben Mund voll Reis
Weil das Ufer zu glatt ist
Kommen wir nicht vom Fleck.
Zieht rascher. Die Mäuler
Warten auf das Essen
Zieht gleichmäßig. Stoßt nicht
Den Nebenmann.

DER KULI (*gleitet aus.*)
Ich kann nicht weiter.

DIE KULIS (*Während die Kulis stehen und gepeitscht werden, bis der gestürzte wieder hochgekommen ist.*)
Länger als wir
Hält das Tau, das in die Schulter schneidet
Die Peitsche des Aufsehers
Hat vier Geschlechter gesehen
Wir sind nicht das letzte.
Zieht rascher. Die Mäuler
Warten auf das Essen.
Zieht gleichmäßig. Stoßt nicht
Den Nebenmann.

DER JUNGE GENOSSE
Schwer ist es, ohne Mitleid diese Männer zu sehen. (*Zum Aufseher*)
Siehst du nicht, daß der Boden glatt ist?

DER AUFSEHER
Was ist der Boden?

DER JUNGE GENOSSE
Zu glatt!

DER AUFSEHER
Was? Willst du behaupten, daß das Ufer zu glatt ist, als daß man einen Kahn voll Reis ziehen kann?

DER JUNGE GENOSSE

Ja.

DER AUFSEHER

So glaubst du, die Stadt Mukden braucht keinen Reis?

DER JUNGE GENOSSE

Wenn die Leute hinfallen, können sie den Kahn nicht ziehen.

DER AUFSEHER

Soll ich für jeden einen Stein hinlegen von hier bis in die Stadt Mukden?

DER JUNGE GENOSSE

Ich weiß nicht, was du sollst, aber ich weiß, was diese sollen. Glaubt nicht, was zweitausend Jahre nicht ging, das geht nie.* In Tientsin habe ich bei Kahnschleppern Schuhe gesehen, die unten Bretter haben, so daß sie nicht ausrutschen können. Das haben sie durch gemeinsames Fordern erreicht. Fordert also gemeinsam solche Schuhe!

DIE KULIS

Eigentlich können wir diesen Kahn ohne solche Schuhe nicht mehr schleppen.

DER AUFSEHER

Aber der Reis muß heute abend in der Stadt sein.
(*Er peitscht sie, sie ziehen.*)

DIE KULIS

Unsere Väter zogen den Kahn von der Flußmündung
Ein Stück weit höher. Unsere Kinder
Werden die Quelle erreichen, wir
Sind dazwischen.
Zieht rascher. Die Mäuler
Warten auf das Essen.
Zieht gleichmäßig. Stoßt nicht
Den Nebenmann.
(*Der Kuli stürzt wieder.*)

DER KULI

Helft mir.

DER JUNGE GENOSSE

Bist du kein Mensch? Hier nehme ich einen Stein und lege ihn in den Schlamm (*zum Kuli*) und jetzt tritt!

DER AUFSEHER

Richtig. Was helfen uns Schuhe in Tientsin? Ich will euch lieber erlauben,* daß euer mitleidiger Kamerad mit einem Stein nebenherläuft und ihn jedem hinlegt, der ausrutscht.

DIE KULIS

Im Kahn ist Reis. Der Bauer, der
Ihn geerntet hat, bekam
Eine Handvoll Münzen, wir
Kriegen noch weniger. Ein Ochse
Wäre teurer. Wir sind zuviel.
(*Einer der Kulis rutscht aus, der junge Genosse legt ihm den Stein hin, der Kuli kommt wieder hoch.*)

DIE KULIS

Zieht rascher. Die Mäuler
Warten auf das Essen.
Zieht gleichmäßig. Stoßt nicht
Den Nebenmann.

Wenn der Reis in der Stadt ankommt
Und die Kinder fragen, wer
Den schweren Kahn geschleppt hat, heißt es:
Er ist geschleppt worden.
(*Einer der Kulis rutscht aus, der junge Genosse legt ihm den Stein hin, der Kuli kommt wieder hoch.*)
Zieht rascher. Die Mäuler
Warten auf das Essen.
Zieht gleichmäßig. Stoßt nicht
Den Nebenmann.

Das Essen von unten kommt
Zu den Essern oben. Die
Es schleppten, haben
Nicht gegessen.
(*Einer der Kulis rutscht aus, der junge Genosse legt ihm den Stein hin, der Kuli kommt wieder hoch.*)

DER JUNGE GENOSSE

Ich kann nicht mehr. Ihr müßt andere Schuhe fordern.

DER KULI

Das ist ein Narr, über den man lacht.

DER AUFSEHER

Nein, das ist einer von denen, die uns die Leute aufhetzen. Hallo, faßt ihn.

DIE VIER AGITATOREN

Und sofort wurde er gefaßt. Und er wurde gejagt zwei Tage lang und traf uns, und wir wurden mit ihm gejagt durch die Stadt Mukden eine Woche lang und durften uns nicht mehr blicken lassen* im unteren Stadtteil.

DISKUSSION

DER KONTROLLCHOR

Aber ist es nicht richtig, zu unterstützen den Schwachen
Wo immer er vorkommt, ihm zu helfen
Dem Ausgebeuteten, in seiner täglichen Mühsal
Und der Unterdrückung?

DIE VIER AGITATOREN

Er hat ihm nicht geholfen, aber uns hat er gehindert, Propaganda zu treiben im unteren Stadtteil.

DER KONTROLLCHOR

Wir sind einverstanden.

DIE VIER AGITATOREN

Der junge Genosse sah ein, daß er das Gefühl vom Verstand getrennt hatte. Aber wir trösteten ihn und sagten ihm die Worte des Genossen Lenin:

DER KONTROLLCHOR

Klug ist nicht, der keine Fehler macht, sondern
Klug ist, der sie schnell zu verbessern versteht.*

IV
GERECHTIGKEIT

DIE VIER AGITATOREN

Wir gründeten die ersten Zellen in den Betrieben und bildeten aus die ersten Funktionäre, richteten eine Parteischule ein und lehrten sie, heimlich herzustellen die verbotene Literatur. Aber dann arbeiteten wir in den Textilfabriken und als der Lohn gesenkt wurde, trat ein Teil der Arbeiter in den Streik. Da aber der andere Teil weiterarbeitete, war der Streik gefährdet. Wir sagten dem jungen Genossen: Stelle dich an das Fabriktor und verteile die Flugblätter. Wir wiederholen das Gespräch.

DIE DREI AGITATOREN

Du hast versagt bei den Reiskahnschleppern.

DER JUNGE GENOSSE

Ja.

DIE DREI AGITATOREN

Hast du gelernt daraus?

DER JUNGE GENOSSE

Ja.

DIE DREI AGITATOREN

Wirst du dich besser halten beim Streik?

DER JUNGE GENOSSE

Ja.

(*Zwei Agitatoren stellen Textilarbeiter und einer einen Polizisten dar.*)

DIE ZWEI TEXTILARBEITER

Wir sind Arbeiter in der Textilfabrik.

DER POLIZIST

Ich bin ein Polizist und bekomme von den Herrschenden mein Brot dafür, daß ich die Unzufriedenheit bekämpfe.

DER KONTROLLCHOR

Komm heraus, Genosse! Riskiere
Den Pfennig, der kein Pfennig ist
Die Schlafstelle, auf die es regnet
Und den Arbeitsplatz, den du morgen verlierst!
Heraus auf die Straße! Kämpfe!
Um zu warten ist es zu spät!
Hilf dir selbst, indem du uns hilfst: übe
Solidarität!*

DER JUNGE GENOSSE

Gib preis was du hast, Genosse!
Du hast nichts.

DER KONTROLLCHOR

Komm heraus, Genosse, vor die Gewehre
Und bestehe auf deinem Lohn!
Wenn du weißt, daß du nichts zu verlieren hast
Haben ihre Polizisten nicht genug Gewehre!
Heraus auf die Straße! Kämpfe!
Um zu warten ist es zu spät!
Hilf dir selbst, indem du uns hilfst: übe
Solidarität!

DIE ZWEI TEXTILARBEITER

Wir gehen nach Betriebsschluß nach Hause, unsere Löhne sind abgebaut, wir wissen nicht, was wir tun sollen und arbeiten weiter.

DER JUNGE GENOSSE (*Steckt dem einen ein Flugblatt zu, der andere bleibt untätig dabei stehen.*)

Lies es und gib es weiter. Wenn du es gelesen hast, wirst du wissen, was du tun sollst.

DER ERSTE (*nimmt es und geht weiter.*)

DER POLIZIST (*nimmt dem ersten das Flugblatt weg.*)

Wer hat dir das Flugblatt gegeben?

DER ERSTE

Ich weiß es nicht, einer hat es mir im Vorbeigehen zugesteckt.

DER POLIZIST (*tritt auf den zweiten zu.*)

Du hast ihm das Flugblatt gegeben. Wir von der Polizei suchen solche, die solche Flugblätter verteilen.

DER ZWEITE

Ich habe keinem ein Flugblatt gegeben.

DER JUNGE GENOSSE

Ist denn die Belehrung der Unwissenden über ihre Lage ein Verbrechen?

DER POLIZIST (*zum zweiten*)

Eure Belehrungen führen zu schrecklichen Dingen. Wenn ihr eine solche Fabrik belehrt, dann kennt sie ihren eigenen Besitzer nicht mehr. Dieses kleine Flugblatt ist gefährlicher als zehn Kanonen.

DER JUNGE GENOSSE

Was steht denn drin?

DER POLIZIST
Das weiß ich nicht.
(*zum zweiten*)
Was steht denn drin?

DER ZWEITE
Ich kenne das Flugblatt nicht, ich habe es nicht verteilt.

DER JUNGE GENOSSE
Ich weiß, daß er es nicht getan hat.

DER POLIZIST (*zum jungen Genossen*)
Hast du ihm das Flugblatt gegeben?

DER JUNGE GENOSSE
Nein.

DER POLIZIST (*zum zweiten*)
Dann hast du es ihm gegeben.

DER JUNGE GENOSSE (*zum ersten*)
Was geschieht mit ihm?

DER ERSTE
Er kann erschossen werden.

DER JUNGE GENOSSE
Warum willst du ihn erschießen, Polizist? Bist du nicht auch ein Prolet?

DER POLIZIST (*zum zweiten*)
Komm mit.
(*schlägt auf seinen Kopf ein.*)

DER JUNGE GENOSSE (*hindert ihn daran.*)
Er war es nicht.

DER POLIZIST
Dann warst es also doch du!

DER ZWEITE
Er war es nicht!

DER POLIZIST
Dann wart ihr es beide.

DER ERSTE
Lauf, Mensch, lauf, du hast die Tasche voll Flugblätter.

DER POLIZIST (*schlägt den zweiten nieder.*)

DER JUNGE GENOSSE (*zeigt auf den Polizisten. Zum ersten*)
Jetzt hat er einen Unschuldigen erschlagen, du bist Zeuge.

DER ERSTE (*greift den Polizisten an.*)
Du gekaufter Hund.
(*Der Polizist zieht den Revolver. Der junge Genosse faßt den Polizisten von hinten am Hals, der erste Arbeiter biegt ihm den Arm langsam nach hinten. Der Schuß geht los, der Polizist wird entwaffnet.*)

DER JUNGE GENOSSE (*schreit*)
Zu Hilfe, Genossen! Zu Hilfe! Hier werden Unbeteiligte erschlagen!

DER ZWEITE ARBEITER (*aufstehend zum ersten*)
Jetzt haben wir einen Polizisten niedergeschlagen und können morgen nicht mehr in den Betrieb und (*zum jungen Genossen*) du bist schuld.

DER JUNGE GENOSSE
Wenn ihr in den Betrieb geht, verratet ihr eure Genossen.

DER ZWEITE ARBEITER
Ich habe eine Frau und drei Kinder, und als ihr herausgingt und streiktet, hat man uns die Löhne erhöht. Hier, ich hatte doppelte Löhnung!
(*Er zeigt das Geld.*)

DER JUNGE GENOSSE (*schlägt dem Arbeiter das Geld aus der Hand.*)
Schämt euch, ihr gekauften Hunde!
(*Der erste Arbeiter springt ihm an den Hals, während der zweite sein Geld aufliest. Der junge Genosse schlägt den Angreifer mit dem Gummiknüppel nieder.*)

DER ZWEITE ARBEITER (*schreit*)
Hilfe! Hier sind Hetzer!

DIE VIER AGITATOREN
Und sofort kamen die Arbeitenden aus dem Betrieb und vertrieben die Streikposten.

DISKUSSION

DER KONTROLLCHOR
Was hätte der junge Genosse tun können?

DIE VIER AGITATOREN
Er hätte den Arbeitern sagen können, daß sie sich gegen die Polizei nur verteidigen konnten, wenn sie erreichten, daß

die anderen Arbeiter in dem Betrieb sich mit ihnen gegen die Polizei solidarisch erklärten.* Denn der Polizist hatte eine Ungerechtigkeit begangen.

DER KONTROLLCHOR

Wir sind einverstanden.

V

WAS IST EIGENTLICH EIN MENSCH?

DIE VIER AGITATOREN

Wir kämpften täglich mit den alten Verbänden, der Hoffnungslosigkeit und der Unterwerfung; wir lehrten die Arbeiter den Kampf um den besseren Lohn in den Kampf um die Macht zu verwandeln. Lehrten sie Waffengebrauch und die Art, in den Straßen zu kämpfen. Dann hörten wir, daß die Kaufleute der Zölle wegen einen Streit hatten mit den Engländern, die die Stadt beherrschten. Um den Streit unter den Herrschenden auszunutzen für die Beherrschten, schickten wir den jungen Genossen mit einem Brief zu dem Reichsten der Kaufleute. Darin stand: Bewaffne die Kulis! Dem jungen Genossen sagten wir: Verhalte dich so, daß du die Waffen bekommst. Aber als das Essen auf den Tisch kam, schwieg er nicht. Wir zeigen es. (*Ein Agitator als Händler.*)

DER HÄNDLER

Ich bin der Händler. Ich erwarte einen Brief vom Kuliverband über eine gemeinsame Aktion gegen die Engländer.

DER JUNGE GENOSSE

Hier ist der Brief vom Kuliverband.

DER HÄNDLER

Ich lade dich ein, mit mir zu essen.

DER JUNGE GENOSSE

Es ist eine Ehre für mich, mit Ihnen essen zu dürfen.

DER HÄNDLER

Während das Essen zubereitet wird, will ich dir meine Ansicht über Kulis mitteilen. Setze dich bitte hierhin.

DER JUNGE GENOSSE
Ich interessiere mich sehr für Ihre Ansicht.

DER HÄNDLER
Warum bekomme ich alles billiger als ein anderer? Und warum arbeitet ein Kuli für mich fast umsonst?

DER JUNGE GENOSSE
Ich weiß es nicht.

DER HÄNDLER
Weil ich ein kluger Mann bin. Ihr seid auch kluge Leute, denn ihr versteht es, von den Kulis Gehälter zu bekommen.

DER JUNGE GENOSSE
Wir verstehen es. – Werden Sie übrigens die Kulis gegen die Engländer bewaffnen?

DER HÄNDLER
Vielleicht, vielleicht. Ich weiß, wie man einen Kuli behandelt. Du mußt einem Kuli so viel Reis geben, daß er nicht gerade stirbt, sonst kann er nicht für dich arbeiten. Ist das richtig?

DER JUNGE GENOSSE
Ja, das ist richtig.

DER HÄNDLER
Ich aber sage: Nein, wenn die Kulis billiger sind als der Reis, kann ich einen neuen Kuli nehmen. Ist das richtiger?

DER JUNGE GENOSSE
Ja, das ist richtiger. – Wann werden Sie übrigens die ersten Waffen in den unteren Stadtteil schicken?

DER HÄNDLER
Bald, bald. Du müßtest sehen, wie die Kulis, die mein Leder verladen, in der Kantine meinen Reis kaufen.

DER JUNGE GENOSSE
Ich müßte es sehen.

DER HÄNDLER
Was meinst du, zahle ich viel für die Arbeit?

DER JUNGE GENOSSE
Nein, aber Ihr Reis ist teuer, und die Arbeit muß eine gute sein, aber Ihr Reis ist ein schlechter.

DER HÄNDLER
Ihr seid kluge Leute.

DER JUNGE GENOSSE
Und wann werden Sie die Kulis gegen die Engländer bewaffnen?

DER HÄNDLER
Nach dem Essen können wir das Waffenlager besichtigen. Ich singe dir jetzt mein Leiblied* vor.

SONG VON DER WARE

Reis gibt es unten am Flusse
In den obern Provinzen brauchen die Leute Reis
Wenn wir den Reis in den Lagern lassen*
Wird der Reis für sie teurer.
Die den Reiskahn schleppen, kriegen dann noch weniger Reis.
Dann wird der Reis für mich noch billiger.
Was ist eigentlich Reis?
Weiß ich, was ein Reis ist?
Weiß ich, wer das weiß!
Ich weiß nicht, was ein Reis ist
Ich kenne nur seinen Preis.

Der Winter kommt, die Leute brauchen Kleider
Da muß man Baumwolle kaufen
Und die Baumwolle nicht hergeben.
Wenn die Kälte kommt, werden die Kleider teurer.
Die Baumwollspinnereien zahlen zuviel Lohn.
Es gibt überhaupt zuviel Baumwolle.
Was ist eigentlich Baumwolle?
Weiß ich, was eine Baumwolle ist?
Weiß ich, wer das weiß!
Ich weiß nicht, was eine Baumwolle ist
Ich kenne nur ihren Preis.

So ein Mensch braucht zuviel Fressen
Dadurch wird der Mensch teurer
Um das Fressen zu schaffen, braucht man Menschen
Die Köche machen das Essen billiger, aber
Die Esser machen es teurer
Es gibt überhaupt zuwenig Menschen.

Was ist eigentlich ein Mensch?
Weiß ich, was ein Mensch ist?
Weiß ich, wer das weiß!
Ich weiß nicht, was ein Mensch ist
Ich kenne nur seinen Preis.
(*Zum jungen Genossen*)
Und jetzt werden wir meinen guten Reis essen.

DER JUNGE GENOSSE (*steht auf.*)
Ich kann nicht mit Ihnen essen.

DIE VIER AGITATOREN
Das sagte er, und kein Gelächter und keine Drohung brachten ihn dazu, mit dem zu essen, den er verachtete, und der Händler vertrieb ihn und die Kulis wurden nicht bewaffnet.

DISKUSSION

DER KONTROLLCHOR
Aber ist es nicht richtig, die Ehre zu stellen über alles?

DIE VIER AGITATOREN
Nein.

DER KONTROLLCHOR

ÄNDERE DIE WELT, SIE BRAUCHT ES

Mit wem säße der Rechtliche nicht zusammen
Dem Recht zu helfen?
Welche Medizin schmeckte zu schlecht
Dem Sterbenden?
Welche Niedrigkeit begingest du nicht, um
Die Niedrigkeit auszutilgen?
Könntest du die Welt endlich verändern, wofür
Wärest du dir zu gut?*
Wer bist du?
Versinke in Schmutz
Umarme den Schlächter, aber
Ändere die Welt: sie braucht es!
Lange nicht mehr hören wir euch zu als
Urteilende. Schon
Als Lernende.

DIE VIER AGITATOREN

Kaum auf der Treppe, erkannte der junge Genosse seinen Fehler, und stellte uns anheim, ihn über die Grenze zurückzuschicken. Wir sahen klar seine Schwäche, aber wir brauchten ihn noch, denn er hatte einen großen Anhang in den Jugendverbänden und er half uns viel in diesen Tagen, vor den Gewehrläufen der Unternehmer das Netz der Partei zu knüpfen.

VI
DER VERRAT

DIE VIER AGITATOREN

In dieser Woche nahmen die Verfolgungen außerordentlich zu. Wir hatten nur mehr ein verstecktes Zimmer für die Setzmaschine und die Flugschriften. Aber eines Morgens kam es zu starken Hungerunruhen in der Stadt und auch vom flachen Lande kamen Nachrichten über starke Unruhen. Am Abend des dritten Tages unter Gefahr* unsere Zufluchtsstätte erreichend, trat uns aus der Tür der junge Genosse entgegen. Und es standen Säcke vor dem Haus im Regen. Wir wiederholen das Gespräch.

DIE DREI AGITATOREN

Was sind das für Säcke?

DER JUNGE GENOSSE

Das sind unsere Propagandaschriften.

DIE DREI AGITATOREN

Was soll mit denen geschehen?

DER JUNGE GENOSSE

Ich muß euch etwas mitteilen: die neuen Führer der Arbeitslosen sind heute hierhergekommen und haben mich überzeugt, daß wir sogleich mit der Aktion beginnen müssen. Wir wollen also die Propagandaschriften verteilen und die Kasernen stürmen.

DIE DREI AGITATOREN

Dann hast du ihnen den falschen Weg gezeigt. Aber nenne uns deine Gründe und versuche, uns zu überzeugen!

DER JUNGE GENOSSE

Das Elend wird größer und die Unruhe wächst in der Stadt.

DIE DREI AGITATOREN

Die Unwissenden fangen an, ihre Lage zu erkennen.

DER JUNGE GENOSSE

Die Arbeitslosen haben unsere Lehre angenommen.

DIE DREI AGITATOREN

Die Unterdrückten werden klassenbewußt.

DER JUNGE GENOSSE

Sie gehen auf die Straße und wollen die Spinnereien demolieren.

DIE DREI AGITATOREN

Die Erfahrung der Revolution fehlt ihnen. Unsere Verantwortung wird um so größer.

DER JUNGE GENOSSE

Die Arbeitslosen können nicht mehr warten und ich
Kann auch nicht mehr warten
Es gibt zu viele Elende.

DIE DREI AGITATOREN

Aber Kämpfer gibt es noch zu wenige.

DER JUNGE GENOSSE

Ihre Leiden sind ungeheuerlich.

DIE DREI AGITATOREN

Es genügt nicht, zu leiden.

DER JUNGE GENOSSE

Hier, bei uns drinnen, sind sieben, die im Auftrag der Arbeitslosen zu uns gekommen sind, hinter ihnen stehen siebentausend, und sie wissen: das Unglück wächst nicht wie auf der Brust der Aussatz; die Armut fällt nicht von den Dächern wie der Dachziegel; sondern Unglück und Armut sind Menschenwerk; der Mangel wird für sie gekocht, aber ihr Jammern wird verzehrt als Speise. Sie wissen alles.

DIE DREI AGITATOREN

Wissen sie, wieviel Regimenter die Regierung hat?

DER JUNGE GENOSSE

Nein.

DIE DREI AGITATOREN

Dann wissen sie zu wenig. Wo sind eure Waffen?

DER JUNGE GENOSSE (*er zeigt die Hände.*)
Wir werden mit Zähnen und Nägeln kämpfen.

DIE DREI AGITATOREN
Das reicht nicht aus. Du siehst nur das Elend der Arbeitslosen, aber nicht das Elend der Arbeitenden. Du siehst nur die Stadt, aber nicht die Bauern des flachen Lands. Du siehst die Soldaten nur als Unterdrückende und nicht als unterdrückende Elende in Uniform. Geh also zu den Arbeitslosen, widerrufe deinen Rat, die Kasernen zu stürmen und überzeuge sie, daß sie heute abend an der Demonstration der Arbeiter aus den Betrieben teilnehmen sollen, und wir werden die unzufriedenen Soldaten zu überzeugen versuchen, daß sie in Uniform ebenfalls mit uns demonstrieren.

DER JUNGE GENOSSE
Ich habe die Arbeitslosen daran erinnert, wie oft die Soldaten auf sie geschossen haben. Soll ich ihnen jetzt sagen, daß sie mit Mördern demonstrieren sollen?

DIE DREI AGITATOREN
Ja, denn die Soldaten können erkennen, daß es falsch war, auf die Elenden ihrer eigenen Klasse zu schießen. Erinnere dich doch an den klassischen Rat des Genossen Lenin,* nicht alle Bauern als Klassenfeinde zu betrachten, sondern die Dorfarmut als Mitkämpfer zu gewinnen.

DER JUNGE GENOSSE
So frage ich: dulden die Klassiker, daß das Elend wartet?

DIE DREI AGITATOREN
Sie sprechen von Methoden, welche das Elend in seiner Gänze erfassen.

DER JUNGE GENOSSE
Dann sind die Klassiker also nicht dafür, daß jedem Elenden gleich und sofort und vor allem geholfen wird?

DIE DREI AGITATOREN
Nein.

DER JUNGE GENOSSE
Dann sind die Klassiker Dreck, und ich zerreiße sie; denn der Mensch, der lebendige, brüllt, und sein Elend zerreißt alle Dämme

der Lehre. Darum mache ich jetzt die Aktion,* jetzt und sofort; denn ich brülle und ich zerreiße die Dämme der Lehre.
(*er zerreißt die Schriften.*)

DIE DREI AGITATOREN
Zerreiße sie nicht! Wir brauchen sie
Jede einzelne. Sieh doch die Wirklichkeit!
Deine Revolution ist schnell gemacht und dauert einen Tag
Und ist morgen abgewürgt.
Aber unsere Revolution beginnt morgen
Siegt und verändert die Welt.
Deine Revolution hört auf, wenn du aufhörst.
Wenn du aufgehört hast
Geht unsere Revolution weiter.

DER JUNGE GENOSSE
Hört, was ich sage: mit meinen zwei Augen sehe ich, daß das Elend nicht warten kann. Darum widersetze ich mich eurem Beschluß zu warten.

DIE DREI AGITATOREN
Du hast uns nicht überzeugt. Geh also zu den Arbeitslosen und überzeuge sie, daß sie sich in die Front der Revolution eingliedern müssen. Dazu fordern wir dich jetzt auf im Namen der Partei.

DER JUNGE GENOSSE
Wer aber ist die Partei?
Sitzt sie in einem Haus mit Telefonen?
Sind ihre Gedanken geheim, ihre Entschlüsse unbekannt?
Wer ist sie?

DIE DREI AGITATOREN
Wir sind sie.
Du und ich und ihr – wir alle.
In deinem Anzug steckt sie, Genosse, und denkt in deinem Kopf
Wo ich wohne, ist ihr Haus und wo du angegriffen wirst, da kämpft sie.
Zeige uns den Weg, den wir gehen sollen und wir
Werden ihn gehen wie du, aber
Gehe nicht ohne uns den richtigen Weg

Ohne uns ist er
Der falscheste.
Trenne dich nicht von uns!

Wir können irren und du kannst recht haben, also
Trenne dich nicht von uns!

Daß der kurze Weg besser ist wie* der lange, das leugnet keiner
Aber wenn ihn einer weiß
Und vermag ihn uns nicht zu zeigen, was nützt uns seine Weisheit?
Sei weise bei uns!
Trenne dich nicht von uns!

DER JUNGE GENOSSE

Weil ich recht habe, kann ich nicht nachgeben. Mit meinen zwei Augen sehe ich, daß das Elend nicht warten kann.

DER KONTROLLCHOR

LOB DER PARTEI

Denn der Einzelne hat zwei Augen
Die Partei hat tausend Augen.
Die Partei sieht sieben Staaten
Der Einzelne sieht eine Stadt
Der Einzelne hat seine Stunde
Aber die Partei hat viele Stunden.
Der Einzelne kann vernichtet werden.
Aber die Partei kann nicht vernichtet werden
Denn sie ist der Vortrupp der Massen
Und führt ihren Kampf
Mit den Methoden der Klassiker, welche geschöpft sind
Aus der Kenntnis der Wirklichkeit.

DER JUNGE GENOSSE

Alles das gilt nicht mehr; im Anblick des Kampfes verwerfe ich alles, was gestern noch galt, kündige alles Einverständnis mit allen, tue das allein Menschliche. Hier ist eine Aktion. Ich stelle mich an ihre Spitze. Mein Herz schlägt für die Revolution. Hier ist sie.

DIE DREI AGITATOREN
Schweig!

DER JUNGE GENOSSE
Hier ist Unterdrückung. Ich bin für die Freiheit!

DIE DREI AGITATOREN
Schweig! Du verrätst uns!

DER JUNGE GENOSSE
Ich kann nicht schweigen, weil ich recht habe.

DIE DREI AGITATOREN
Ob du recht oder unrecht hast – wenn du sprichst, sind wir verloren!
Schweig!

DER JUNGE GENOSSE
Ich sah zuviel.
Darum trete ich vor sie hin
Als der, der ich bin, und sage, was ist.
(*Er nimmt die Maske ab und schreit.*)
Wir sind gekommen, euch zu helfen
Wir kommen aus Moskau.
(*Er zerreißt die Maske.*)

DIE VIER AGITATOREN
Und wir sahen hin, und in der Dämmerung
Sahen wir sein nacktes Gesicht
Menschlich, offen und arglos. Er hatte
Die Maske zerrissen.
Und aus den Häusern
Schrien die Ausgebeuteten: Wer
Stört den Schlaf der Armen?
Und ein Fenster öffnete sich und eine Stimme schrie:
Hier sind Fremde! Jagt die Hetzer!
So waren wir kenntlich!
Und in dieser Stunde hörten wir, daß es Unruhen gäbe
Im unteren Stadtteil, und die Unwissenden warteten in den Versammlungshäusern und die Unbewaffneten in den Straßen.
Er aber hörte nicht auf zu brüllen.
Und wir schlugen ihn nieder
Hoben ihn auf und verließen in Eile die Stadt.

VII
ÄUSSERSTE VERFOLGUNG UND ANALYSE

DER KONTROLLCHOR

Sie verließen die Stadt!
Die Unruhen wachsen in der Stadt
Aber die Führung flieht über die Stadtgrenze.
Eure Maßnahme!

DIE VIER AGITATOREN

Wartet ab!
Es ist leicht, das Richtige zu wissen
Fern vom Schuß
Wenn man Monate Zeit hat
Aber wir
Hatten zehn Minuten Zeit und
Dachten nach vor den Gewehrläufen.

Als wir auf der Flucht in die Nähe der Kalkgruben vor der Stadt kamen, sahen wir hinter uns unsere Verfolger. Unser junger Genosse öffnete die Augen, erfuhr, was geschehen war, sah ein, was er getan hatte und sagte: Wir sind verloren.

DER KONTROLLCHOR

Eure Maßnahme!
In den Zeiten äußerster Verfolgung und der Verwirrung der Theorie
Zeichnen die Kämpfer das Schema der Lage
Abzuwägen Einsatz und Möglichkeit.*

DIE VIER AGITATOREN

Wir wiederholen die Analyse.

ERSTER AGITATOR

Wir müssen ihn über die Grenze schaffen, sagten wir.

ZWEITER AGITATOR

Aber die Massen sind auf der Straße.

DRITTER AGITATOR

Und wir müssen sie in die Versammlungen bringen.

ERSTER AGITATOR
Also können wir unsern Genossen nicht über die Grenze schaffen.
DRITTER AGITATOR
Wenn wir ihn aber verstecken und er wird gefunden, was geschieht, da er erkannt ist?
ERSTER AGITATOR
Es liegen Kanonenboote bereit auf den Flüssen und Panzerzüge stehen auf den Bahndämmen, um uns anzugreifen, wenn einer von uns dort gesehen wird. Er darf nicht gesehen werden.
DER KONTROLLCHOR
Wenn man uns trifft, wo immer es sei
Schreit man: Die Herrschenden
Sollen vernichtet werden!
Und die Kanonen gehen los.

Denn wenn der Hungernde
Stöhnend zurückschlägt den Peiniger
Haben wir ihn bezahlt
Daß er stöhnt und zurückschlägt.

Auf unserer Stirne steht
Daß wir gegen die Ausbeutung sind.
Auf unserm Steckbrief steht: Diese
Sind für die Unterdrückten!

Wer den Verzweifelten hilft
Der ist der Abschaum der Welt.
Wir sind der Abschaum der Welt
Wir dürfen nicht gefunden werden.

VIII
DIE GRABLEGUNG

DIE DREI AGITATOREN
Wir beschlossen:
Dann muß er verschwinden, und zwar ganz.

Denn wir können ihn nicht mitnehmen und nicht da lassen
Also müssen wir ihn erschießen und in die Kalkgrube werfen, denn
Der Kalk verbrennt ihn.

DER KONTROLLCHOR

Fandet ihr keinen Ausweg?

DIE VIER AGITATOREN

Bei der Kürze der Zeit fanden wir keinen Ausweg.
Wie das Tier dem Tiere hilft
Wünschten auch wir uns, ihm zu helfen, der
Mit uns gekämpft für unsere Sache.
Fünf Minuten im Angesicht der Verfolger
Dachten wir nach über eine
Bessere Möglichkeit.
Auch ihr denkt jetzt nach über
Eine bessere Möglichkeit.
(*Pause*)
Also beschlossen wir: jetzt
Abzuschneiden den eigenen Fuß vom Körper.*
Furchtbar ist es, zu töten.
Aber nicht andere nur, auch uns töten wir, wenn es nottut
Da doch nur mit Gewalt diese tötende
Welt zu ändern ist, wie
Jeder Lebende weiß.
Noch ist es uns, sagten wir
Nicht vergönnt, nicht zu töten.* Einzig mit dem
Unbeugbaren Willen, die Welt zu verändern, begründeten wir
Die Maßnahme.

DER KONTROLLCHOR

Erzählt weiter, unser Mitgefühl
Ist euch sicher.
Nicht leicht war es, zu tun, was richtig war.
Nicht ihr spracht ihm sein Urteil, sondern
Die Wirklichkeit.

DIE VIER AGITATOREN

Wir wiederholen unser letztes Gespräch.

DER ERSTE AGITATOR
Wir wollen ihn fragen, ob er einverstanden ist, denn er war ein mutiger Kämpfer. (Freilich das Gesicht, das unter der Maske hervorkam, war ein anderes, als das wir mit der Maske verdeckt hatten, und das Gesicht, das der Kalk verlöschen wird, anders, als das Gesicht, das uns einst an der Grenze begrüßte.)

DER ZWEITE AGITATOR
Aber auch wenn er nicht einverstanden ist, muß er verschwinden, und zwar ganz.*

DER ERSTE AGITATOR (*zum jungen Genossen*)
Wenn du gefaßt wirst, werden sie dich erschießen, und da du erkannt wirst, ist unsere Arbeit verraten. Also müssen wir dich erschießen und in die Kalkgrube werfen, damit der Kalk dich verbrennt. Aber wir fragen dich: weißt du einen Ausweg?

DER JUNGE GENOSSE
Nein.

DIE DREI AGITATOREN
So fragen wir dich: bist du einverstanden?
(*Pause*)

DER JUNGE GENOSSE
Ja.

DIE DREI AGITATOREN
Wohin sollen wir dich tun, fragten wir ihn.

DER JUNGE GENOSSE
In die Kalkgrube, sagte er.

DIE DREI AGITATOREN
Wir fragten: Willst du es allein machen?

DER JUNGE GENOSSE
Helft mir.

DIE DREI AGITATOREN
Lehne deinen Kopf an unsern Arm
Schließ die Augen.

DER JUNGE GENOSSE (*unsichtbar*)
Er sagte noch: Im Interesse des Kommunismus
Einverstanden mit dem Vormarsch der proletarischen Massen
Aller Länder
Ja sagend zur Revolutionierung der Welt.

DIE DREI AGITATOREN

Dann erschossen wir ihn und
Warfen ihn hinab in die Kalkgrube.
Und als der Kalk ihn verschlungen hatte
Kehrten wir zurück zu unserer Arbeit.

DER KONTROLLCHOR

Und eure Arbeit war glücklich
Ihr habt verbreitet
Die Lehre der Klassiker
Das ABC des Kommunismus
Den Unwissenden Belehrung über ihre Lage
Den Unterdrückten das Klassenbewußtsein
Und den Klassenbewußten die Erfahrung der Revolution.
Und die Revolution marschiert auch dort
Und auch dort sind geordnet die Reihen der Kämpfer
Wir sind einverstanden mit euch.
Aber auch euer Bericht zeigt uns, wieviel
Nötig ist, die Welt zu verändern:
Zorn und Zähigkeit. Wissen und Empörung
Schnelles Eingreifen, tiefes Bedenken
Kaltes Dulden, endloses Beharren
Begreifen des Einzelnen und Begreifen des Ganzen:
Nur belehrt von der Wirklichkeit können wir
Die Wirklichkeit ändern.

Die Ausnahme und die Regel

(Lehrstück)

Mitarbeiter: E. Burri, E. Hauptmann

DIE SPIELER:

Wir berichten* euch sogleich
Die Geschichte einer Reise. Ein Ausbeuter
Und zwei Ausgebeutete unternehmen sie.
Betrachtet genau das Verhalten dieser Leute:
Findet es befremdend, wenn auch nicht fremd.
Unerklärlich, wenn auch gewöhnlich.
Unverständlich, wenn auch die Regel.
Selbst die kleinste Handlung, scheinbar einfach
Betrachtet mit Mißtrauen! Untersucht, ob es nötig ist
Besonders das Übliche!
Wir bitten euch ausdrücklich findet
Das immerfort Vorkommende nicht natürlich!
Denn nichts werde natürlich genannt
In solcher Zeit blutiger Verwirrung
Verordneter Unordnung, planmäßiger Willkür
Entmenschter Menschheit, damit nichts
Unveränderlich gelte.

I

WETTLAUF IN DER WÜSTE

(*Zwei kleine Trupps hasten in einigem Abstand durch die Wüste.**)

DER KAUFMANN (*zu seinen zwei Begleitern, dem Führer und einem Kuli, der das Gepäck trägt*): Beeilt euch, ihr Faultiere, heute über zwei Tage müssen wir bis zur Station Han gekommen sein, denn wir müssen einen ganzen Tag Vorsprung herausquetschen. (*Zum Publikum*) Ich bin der Kaufmann* Karl Langmann und reise nach Urga,* um die Schlußverhandlungen über eine Konzession zu führen. Hinter mir her kommen meine Konkurrenten. Wer zuerst ankommt, macht das Geschäft. Durch meine Schlauheit und meine Energie bei der Überwindung aller Schwierigkeiten und meine Unerbittlichkeit gegen mein Personal habe ich die Reise bisher beinahe in der Hälfte der üblichen Zeit gemacht. Leider haben auch meine Konkurrenten dasselbe Tempo erreicht. (*Er sieht durch sein Fernglas nach hinten.*) Seht ihr, da sind sie uns schon wieder auf den Fersen! (*Zum Führer*) Warum treibst du den Träger nicht an? Ich habe dich engagiert, damit du ihn antreibst, aber ihr wollt spazierengehen für mein Geld. Hast du eine Ahnung, was die Reise kostet? Euer Geld ist es ja nicht. Aber wenn du Sabotage treibst, zeige ich dich in Urga bei der Stellenvermittlung an.

DER FÜHRER (*zum Träger*): Bemühe dich, rascher zu laufen.

DER KAUFMANN: Du hast nicht den richtigen Ton im Hals, du wirst es nie zu einem richtigen Führer bringen. Ich hätte einen teureren nehmen sollen. Sie holen immer mehr auf. So schlag den Kerl doch. Ich bin nicht für Schlagen, aber jetzt muß man schlagen. Wenn ich nicht zuerst ankomme, bin ich ruiniert. Du hast dir deinen Bruder als Träger genommen, gesteh's! Er ist ein Verwandter, darum schlägst du nicht! Ich kenne euch doch! An Roheit fehlt es nicht bei euch!* Schlag, oder ich entlasse dich! Deinen Lohn kannst du dann einklagen. Um Gottes willen, wir werden eingeholt!

DER KULI (*zum Führer*): Schlag mich, aber nicht mit deiner äußersten Kraft, denn wenn ich bis zur Station Han kommen will, darf ich meine äußerste Kraft jetzt noch nicht einsetzen.

(*Der Führer schlägt den Kuli.*)

RUFE VON HINTEN: Hallo! Geht hier der Weg nach Urga? Hier gut Freund!* Wartet auf uns!

DER KAUFMANN (*antwortet nicht und schaut auch nicht zurück*): Der Teufel hole euch! Vorwärts! Drei Tage treibe ich meine Leute an, zwei Tage mit Schimpfreden, am dritten mit Ver-

sprechungen, in Urga wird man weitersehen. Immer sind mir meine Konkurrenten auf den Fersen, aber die zweite Nacht marschiere ich durch und bin endlich außer Sichtweite und erreiche die Station Han am dritten Tage, einen Tag früher als jeder andere.
(*Er singt*)

Daß ich nicht schlief, hat mir den Vorsprung verschafft.
Daß ich antrieb, hat mich vorwärtsgebracht.
Der schwache Mann bleibt zurück und der starke kommt an.

II

ENDE DER VIELBEGANGENEN STRASSE

DER KAUFMANN (*vor der Station Han*): Hier ist die Station Han. Gott sei Dank, ich habe sie erreicht, einen Tag früher als jeder andere. Meine Leute sind erschöpft. Außerdem sind sie erbittert gegen mich. Sie haben keinen Sinn für Rekorde. Es sind keine Kämpfer. Es ist ein niedriges Gesindel, das am Boden klebt. Sie wagen natürlich nicht, etwas zu sagen, denn es gibt ja Gott sei Dank noch Polizei, die für Ordnung sorgt.

ZWEI POLIZISTEN (*treten heran*): Alles in Ordnung, Herr? Sind Sie zufrieden mit den Straßen? Sind Sie zufrieden mit Ihrem Personal?

DER KAUFMANN: Alles in Ordnung. Ich habe die Reise hierher in drei Tagen gemacht anstatt in vier. Die Straßen sind saumäßig,* aber ich pflege durchzusetzen, was ich mir vorgenommen habe. Wie sind die Straßen von der Station Han ab? Was kommt jetzt?

DIE POLIZISTEN: Jetzt, Herr, kommt die menschenleere Wüste Jahi.*

DER KAUFMANN: Kann man da eine Polizeieskorte bekommen?

DIE POLIZISTEN (*im Weitergehen*): Nein, Herr, wir sind die letzte Polizeistreife, die Sie sehen werden, Herr.

III
DIE ENTLASSUNG DES FÜHRERS AUF DER STATION HAN

DER FÜHRER: Seit wir auf der Straße vor der Station mit den Polizisten gesprochen haben, ist unser Kaufmann wie ausgewechselt.* Sein Ton, in dem er mit uns spricht, ist ein ganz anderer geworden: er ist freundlich. Mit dem Tempo der Reise hat dies nichts zu tun, denn es ist auch auf dieser Station, der letzten vor der Wüste Jahi, kein Ruhetag angesetzt worden. Ich weiß nicht, wie ich den Träger in so erschöpftem Zustand bis nach Urga bringen soll. Alles in allem beunruhigt mich dieses freundliche Verhalten des Kaufmanns sehr. Ich fürchte, er plant etwas mit uns.* Er geht viel herum, in Nachdenken versunken. Neue Gedanken, neue Gemeinheiten. Was immer er ausheckt, ich und der Träger müssen es aushalten. Denn sonst zahlt er uns den Lohn nicht oder jagt uns fort mitten in der Wüste.

DER KAUFMANN (*nähert sich*): Nimm Tabak. Hier ist Zigarettenpapier. Für einen Lungenzug geht ihr ja durchs Feuer.* Ich weiß nicht, was ihr alles anstellen könntet, um diesen Rauch in den Hals zu bekommen. Gott sei Dank haben wir genügend bei uns. Unser Tabak reicht dreimal bis Urga.

DER FÜHRER (*nimmt den Tabak, bei sich*): Unser Tabak!

DER KAUFMANN: Setzen wir uns doch, mein Freund. Warum setzt du dich nicht? Solch eine Reise bringt zwei Leute einander menschlich näher. Aber wenn du nicht willst, kannst du natürlich auch stehen bleiben. Ihr habt ja auch eure Gebräuche. Ich setze mich nicht mit dir für gewöhnlich* und du setzt dich nicht mit einem Träger. Das sind Unterschiede, auf denen die Welt aufgebaut ist. Aber rauchen können wir zusammen. Nein? (*Er lacht.*) Das gefällt mir an dir. Es ist auch eine Art Würde. Also, pack das Zeug vollends zusammen. Und vergiß das Wasser nicht. Es soll wenig Wasserlöcher geben in der Wüste. Übrigens, mein Freund, wollte ich dich warnen: hast du bemerkt, wie der Träger dich anschaute, wenn du ihn hart anfaßtest? Er hatte so ein gewisses Etwas im Blick, das auf nichts Gutes hindeutete. Du wirst ihn aber noch ganz anders anfassen müssen in den nächsten Tagen, denn wir müssen unser Tempo womöglich noch verstärken. Und das ist ein fauler Bursche. Die Gegend, in die wir jetzt kommen, ist menschenleer, da wird er vielleicht sein wahres Gesicht zeigen. Ja, du bist ein besserer Mann, du verdienst mehr und brauchst nichts zu tragen. Grund genug, daß er dich haßt. Es wird gut sein, wenn du dich von ihm fernhältst. (*Der Führer geht durch eine offene Tür in den Nebenhof. Der Kaufmann ist allein sitzen geblieben.*) Komische Leute. (*Der Kaufmann bleibt schweigend sitzen. Der Führer beaufsichtigt nebenan den Träger beim Packen. Dann setzt er sich und raucht. Wenn der Kuli fertig ist, setzt er sich hin und bekommt von ihm Tabak und Zigarettenpapier und beginnt ein Gespräch mit ihm.*)

DER KULI: Der Kaufmann sagt immer, daß der Menschheit ein Dienst erwiesen wird, wenn das Öl aus dem Boden geholt wird. Wenn das Öl aus dem Boden geholt ist, wird es hier Eisenbahnen geben und Wohlstand sich ausbreiten. Der Kaufmann sagt, es wird hier Eisenbahnen geben. Wovon soll ich dann leben?

DER FÜHRER: Sei ganz ruhig. Es wird so bald keine Eisenbahnen geben. Ich höre, daß das Öl, wenn es entdeckt ist, versteckt wird. Der das Loch zustopft, aus dem das Öl kommt, erhält Schweigegeld. Darum beeilt sich der Kaufmann so. Er will gar nicht das Öl, er will das Schweigegeld.

DER KULI: Das verstehe ich nicht.

DER FUHRER: Keiner versteht das.

DER KULI: Der Weg durch die Wüste wird wohl noch schlechter werden. Hoffentlich werden meine Füße durchhalten.

DER FÜHRER: Sicher.

DER KULI: Gibt es Räuber hier?

DER FÜHRER: Wir werden nur heute am ersten Reisetag aufmerken müssen, in der Nähe der Station sammelt sich allerlei Gesindel an.

DER KULI: Und dann?

DER FÜHRER: Wenn wir den Fluß Myr hinter uns haben, wird es darauf ankommen,* den Wasserlöchern entlang* zu marschieren.

DER KULI: Du kennst den Weg?

DER FÜHRER: Ja.

(Der Kaufmann hat sprechen gehört. Er tritt hinter die Tür, um zu horchen.)

DER KULI: Ist der Fluß Myr schwierig zu überschreiten?

DER FÜHRER: In dieser Jahreszeit im allgemeinen nicht. Aber wenn er Hochwasser hat, reißt er sehr stark* und ist lebensgefährlich.

DER KAUFMANN: Er spricht wirklich mit dem Träger. Bei ihm kann er sitzen! Mit ihm raucht er!

DER KULI: Was macht man dann?

DER FÜHRER: Man muß oft acht Tage warten, bis man ohne Gefahr hinüberkommt.

DER KAUFMANN: Sieh mal an!* Er gibt ihm noch den Rat, sich ja Zeit zu lassen* und auf sein kostbares Leben ja recht acht zu geben! Das ist ein gefährlicher Bursche. Er wird ihm noch Vorschub leisten.* Auf keinen Fall ist er der Mann, der hier durchgreift.* Wenn er nicht noch zu Schlimmerem fähig ist. Schließlich sind es ab heute* zwei gegen einen, zumindest aber fürchtet er sich ganz offenkundig, den unter seinem Kommando Stehenden scharf anzupacken, jetzt, wo die Gegenden menschenleer werden. Dieses Burschen muß ich mich unbedingt entledigen. (*Er geht zu den beiden hinein.*) Ich habe dir den Auftrag gegeben, zu kontrollieren, ob richtig gepackt wurde. Jetzt wollen wir einmal sehen, ob du meine Aufträge ausführst. (*Er zerrt heftig an einem Tragriemen, bis dieser reißt.*) Heißt das gepackt?* Wenn der Riemen reißt, haben wir einen Tag Aufenthalt. Aber das ist es ja gerade, was du willst: Aufenthalt.

DER FÜHRER: Ich will keinen Aufenthalt. Und der Riemen reißt nicht, wenn an ihm nicht gezerrt wird.

DER KAUFMANN: Was, du widersprichst auch noch? Ist der Riemen gerissen oder nicht? Wage es, mir ins Gesicht hinein* zu behaupten, er sei nicht gerissen! Du bist überhaupt unzuverlässig. Ich habe einen Fehler gemacht, als ich dich anständig behandelte, ihr vertragt das nicht. Ich kann keinen Führer brauchen, der sich beim Personal keinen Respekt verschaffen kann. Du scheinst dich eher zum Träger als zum Führer zu eignen. Ich habe Gründe dafür anzunehmen, daß du sogar das Personal aufhetzt.

DER FÜHRER: Welche Gründe?

DER KAUFMANN: Ja, das möchtest du wissen! Also, du bist entlassen!

DER FÜHRER. Aber Sie können mich doch nicht auf halbem Wege entlassen.

DER KAUFMANN: Du mußt noch froh sein, wenn ich dich nicht in Urga bei der Stellenvermittlung anzeige. Hier hast du deinen Lohn, und zwar bis hierher. (*Er ruft den Wirt, der kommt.*) Sie sind Zeuge: ich habe den Lohn ausbezahlt. (*Zum Führer*) Ich kann dir jetzt schon sagen, daß du dich besser in Urga nicht mehr blicken läßt. (*Betrachtet ihn von oben bis unten*) Du wirst es nie zu etwas bringen.* (*Er geht mit dem Wirt ins andere Zimmer.*) Ich breche sofort auf. Wenn mir etwas passiert, Sie sind Zeuge, daß ich mit dem Mann da (*zeigt auf den Kuli nebenan*) heute allein von hier aufgebrochen bin.

(*Der Wirt deutet durch Gesten an, daß er nichts versteht.*)

DER KAUFMANN (*betroffen*): Er versteht nicht. Es wird also niemanden geben, der sagen kann, wohin ich gegangen bin. Und das Schlimmste ist, daß diese Burschen wissen, daß es niemanden gibt.

(*Er setzt sich und schreibt einen Brief.*)

DER FÜHRER (*zum Kuli*) Ich habe einen Fehler gemacht, als ich mich zu dir setzte. Nimm dich in acht,* das ist ein schlechter Mann. (*Er gibt ihm seine Wasserflasche.*) Behalte diese Flasche als Reserve, versteck sie. Wenn ihr euch verirren solltet – wie willst du den Weg finden? – wird er dir sicher deine abnehmen. Ich werde dir den Weg erklären.

DER KULI: Tu es lieber nicht. Er darf dich nicht mit mir reden hören und wenn er mich davonjagt, bin ich verloren. Mir braucht er überhaupt nichts zu zahlen, denn ich bin nicht wie du in einer Gewerkschaft:* ich muß mir alles gefallen lassen.*

DER KAUFMANN (*zum Wirt*): Geben Sie diesen Brief den Leuten, die morgen hier ankommen und auch nach Urga gehen. Ich werde mit meinem Träger allein weitermarschieren.

DER WIRT (*nickt und nimmt den Brief*): Aber er ist kein Führer.

DER KAUFMANN (*für sich*): Er versteht also doch! Er wollte also vorhin nicht verstehen! Er kennt das schon. Er macht keinen Zeugen in solchen Sachen. (*Zum Wirt, barsch*) Erklären Sie meinem Träger den Weg nach Urga.

(*Der Wirt geht hinaus und erklärt dem Kuli den Weg nach Urga. Der Kuli nickt oftmals eifrig mit dem Kopf.*)

DER KAUFMANN: Ich sehe, es wird einen Kampf geben. (*Er holt seinen Revolver heraus und reinigt ihn. Dabei singt er*)

Der kranke Mann stirbt und der starke Mann ficht.
Warum sollte der Boden das Öl hergeben?
Warum sollte der Kuli meinen Packen schleppen?
Um Öl muß gekämpft werden
Mit dem Boden und mit dem Kuli
Und in diesem Kampf heißt es:
Der kranke Mann stirbt und der starke Mann ficht.

(*Er tritt reisefertig in den andern Hof.*) Kennst du jetzt den Weg?

DER KULI: Ja, Herr.

DER KAUFMANN: Dann los.*

(*Der Kaufmann und der Kuli gehen hinaus. Der Wirt und der Führer sehen ihnen nach.*)

DER FÜHRER: Ich weiß nicht, ob mein Kollege wirklich begriffen hat. Er hat zu rasch begriffen.

IV
GESPRÄCH IN EINER GEFÄHRLICHEN GEGEND

DER KULI (*singt*):

Ich geh nach der Stadt Urga
Unaufhaltsam gehe ich nach Urga
Die Räuber halten mich nicht ab von Urga
Die Wüste hält mich nicht zurück von Urga
Essen gibt es in Urga und Lohn.

DER KAUFMANN: Wie sorglos ist dieser Kuli! Das ist eine Gegend, in der es Räuber gibt, allerhand Gesindel, das sich in der Nähe der Station sammelt. Und er singt. (*Zum Kuli*) Dieser Führer hat mir nie gefallen. Einmal war er roh, einmal war er speichelleckerisch. Kein ehrlicher Mann.

DER KULI: Ja, Herr. (*Er singt wieder*)

Die Straßen sind beschwerlich bis Urga
Hoffentlich halten meine Füße durch bis Urga
Die Leiden sind unermeßlich bis Urga
Aber in Urga gibt es Ausruhen und Lohn.

DER KAUFMANN: Warum singst du eigentlich und bist so fröhlich, mein Freund? Du fürchtest wohl die Räuber nicht? Du meinst wohl, was sie dir nehmen können, das gehört dir nicht, denn was du zu verlieren hast, das gehört mir.

DER KULI (*singt*):

Auch meine Frau erwartet mich in Urga
Auch mein kleiner Sohn erwartet mich in Urga
Auch – – –

DER KAUFMANN (*ihn unterbrechend*): Mir gefällt dein Singen nicht. Wir haben keinen Grund zum Singen. Man hört dich ja bis nach Urga. So lockt man ja das Gesindel geradezu an. Du kannst morgen wieder singen, soviel du willst.

DER KULI: Ja, Herr.

DER KAUFMANN (*der vorausgeht*): Er würde sich keinen Augenblick wehren, wenn man ihm seine Sachen wegnähme. Was würde er tun? Es wäre seine Pflicht, das Meine so zu betrachten wie das Seine, wenn es in Gefahr ist. Aber das würde er niemals. Schlechte Rasse. Er spricht auch nichts. Das sind die Schlimmsten. Ich kann ja in seinen Kopf nicht hineinsehen. Was hat er vor? Er hat nichts zu lachen und lacht. Worüber lacht er? Warum läßt er mich zum Beispiel vorangehen? Er weiß doch den Weg! Wohin führt er mich überhaupt? (*Er schaut sich um und sieht, wie der Kuli Spuren im Sand hinter sich mit einem Tuch verwischt.*) Was machst du denn da?

DER KULI: Ich verwische unsere Spuren, Herr.

DER KAUFMANN: Und warum machst du das?

DER KULI: Der Räuber wegen.

DER KAUFMANN: So, der Räuber wegen. Man soll aber sehen, wohin du mich geführt hast. Wohin führst du mich denn überhaupt? Geh voraus! (*Sie gehen schweigend weiter. Der Kaufmann zu sich*): In diesem Sand sind die Spuren wirklich sehr deutlich zu sehen. Eigentlich wäre es natürlich sehr gut, die Spuren zu verwischen.

V

AM REISSENDEN FLUSS

DER KULI: Wir sind ganz richtig gegangen,* Herr. Was wir dort sehen, ist der Fluß Myr. Zu dieser Jahreszeit ist er im allgemeinen nicht schwierig zu überschreiten, aber wenn er Hochwasser hat, reißt er sehr stark und ist lebensgefährlich. Er hat Hochwasser.

DER KAUFMANN: Wir müssen hinüber.

DER KULI: Man muß oft acht Tage warten, bis man ohne Gefahr hinüberkommt. Jetzt ist es lebensgefährlich.

DER KAUFMANN: Das werden wir ja sehen. Wir können keinen Tag warten.

DER KULI: Dann müssen wir eine Furt suchen oder einen Kahn.

DER KAUFMANN: Das dauert zu lange.

DER KULI: Ich kann aber sehr schlecht schwimmen.

DER KAUFMANN: Das Wasser ist nicht so hoch.
*

DER KAUFMANN: Wenn du erst im Wasser bist, wirst du auch schwimmen. Denn dann mußt du. Siehst du, du kannst das nicht so überblicken wie ich. Warum müssen wir nach Urga? Kannst du Dummkopf nicht verstehen, daß der Menschheit ein Dienst erwiesen wird, wenn das Öl aus dem Boden geholt wird? Wenn das Öl aus dem Boden heraus ist, wird es hier Eisenbahnen geben und Wohlstand sich ausbreiten. Es wird Brot und Kleider geben und Gott weiß was. Und wer wird das machen? Wir. Von unserer Reise hängt es ab. Stelle dir vor: daß auf dich gleichsam die Augen dieses ganzen Landes gerichtet sind, auf dich, einen kleinen Mann. Und da zauderst du, deine Pflicht zu tun?

* line missing :-
DER KULI steckt einen Stecken hinein: Es ist höher als ich

DER KULI (*hat während dieser Rede ehrfürchtig genickt*): Ich kann nicht gut schwimmen.

DER KAUFMANN: Ich wage doch auch mein Leben. (*Der Kuli nickt ehrerbietig.*) Ich verstehe dich nicht. Von niederen, gewinnsüchtigen Erwägungen geleitet, hast du gar kein Interesse, die Stadt Urga möglichst bald, sondern das Interesse, sie möglichst spät zu erreichen, da du ja tagweise bezahlt wirst. Die Reise interessiert dich also gar nicht wirklich, sondern nur der Lohn.

DER KULI (*steht am Ufer und zögert*): Was soll ich machen? (*Er singt*):

Hier ist der Fluß.
Ihn zu durchschwimmen, ist gefährlich.
An seinem Ufer stehen zwei Männer
Der eine durchschwimmt ihn, der andere
Zögert. Ist der eine mutig?
Ist der andere feige? Jenseits des Flusses
Hat der eine ein Geschäft.
Aus der Gefahr steigt der eine
Aufatmend an das eroberte Ufer
Er betritt sein Besitztum
Er ißt neues Essen,
Aber der andere steigt aus der Gefahr
Keuchend ins Nichts.
Ihn empfängt, den Geschwächten
Neue Gefahr. Sind sie beide tapfer?

Sind sie beide weise?
Ach! Aus dem gemeinsam besiegten Fluß
Steigen nicht zwei Sieger.

Wir und: ich und du
Das ist nicht dasselbe.
Wir erringen den Sieg
Und du besiegst mich.

Gestatte wenigstens, daß ich einen halben Tag ausruhe. Ich bin müde vom Schleppen. Ausgeruht kann ich vielleicht hinüberkommen.

DER KAUFMANN: Ich weiß ein besseres Mittel. Ich werde dir den Revolver in den Rücken halten. Wetten wir,* daß du hinüberkommst? (*Er stößt ihn vor sich her.* Zu sich*) Mein Geld macht mich die Räuber fürchten und den Fluß vergessen. (*Er singt*):

So überwindet der Mensch
Die Wüste und den reißenden Fluß
Und überwindet sich selbst, den Menschen
Und gewinnt das Öl, das gebraucht wird.

VI
DAS NACHTLAGER

(*Am Abend versucht der Kuli, dessen einer Arm gebrochen ist, das Zelt aufzuschlagen. Der Kaufmann sitzt dabei*)

DER KAUFMANN: Ich habe dir doch gesagt, daß du heute das Zelt nicht aufzubauen brauchst, weil du dir beim Übergang über den Fluß den Arm gebrochen hast. (*Der Kuli baut schweigend weiter.*) Wenn ich dich nicht aus dem Wasser gezogen hätte, wärst du ertrunken. (*Der Kuli baut weiter.*) Wenn ich auch an deinem Unfall nicht schuld bin – der Baumstrunk hätte gerade so gut mich treffen können – so ist dir dieses Mißgeschick immerhin auf einer Reise mit mir zugestoßen. Ich habe nur sehr wenig bares Geld bei mir, aber in Urga ist meine Bank, da werde ich dir Geld geben.

DER KULI: Ja, Herr.

DER KAUFMANN: Spärliche Antwort. Mit jedem Blick läßt er mich merken, daß ich ihn geschädigt hätte. Diese Kulis sind ein heimtückisches Pack! (*Zum Kuli*) Du kannst dich niederlegen. (*Er geht weg und setzt sich abseits nieder.*) Sicher macht ihm sein Mißgeschick weniger aus als mir. Dieses Gesindel kümmert sich nicht viel darum, ob es ganz oder lädiert ist. So was hebt sich nicht höher als bis zu einer Schüssel Rand. Von Natur bresthaft, kümmern sie sich nicht mehr um sich. Wie einer etwas wegwirft, was ihm nicht gelungen ist, werfen sie sich selber weg, das Mißlungene. Nur der Gelungene* kämpft. (*Er singt*)

Der kranke Mann stirbt und der starke Mann ficht
Und das ist gut so.
Dem Starken wird geholfen, dem Schwachen hilft man nicht
Und das ist gut so.
Laß fallen, was fällt, gib ihm noch einen Tritt
Denn das ist gut so.
Es setzt sich zum Essen, wer den Sieg sich erstritt
Das ist gut so.
Und der Koch nach der Schlacht zählt die Toten nicht mit
Und er tut gut so.
Und der Gott der Dinge, wie sie sind, schuf Herr und Knecht!*
Und das war gut so.
Und wem's gut geht, der ist gut; und wem's schlecht geht, der ist schlecht
Und das ist gut so.

(*Der Kuli ist hinzugetreten. Der Kaufmann erblickt ihn und erschrickt.*) Er hat zugehört! Halt! Bleib stehen! Was willst du!

DER KULI: Das Zelt ist fertig, Herr.

DER KAUFMANN: Schleiche nicht so herum in der Nacht. Das paßt mir nicht. Ich will den Tritt hören, wenn der Mann kommt. Und ich wünsche auch einem Mann in die Augen zu sehen, wenn ich mit ihm spreche. Leg dich nieder, kümmere dich nicht zu sehr um mich. (*Der Kuli geht zurück.*) Halt! Du gehst ins Zelt! Ich sitze hier, weil ich frische Luft gewöhnt* bin. (*Der Kuli geht ins Zelt.*) Ich möchte wissen, wieviel er von meinem Lied gehört hat. (*Pause*) Was macht er wohl jetzt? Er hantiert immer noch.

(*Man sieht den Kuli sorgfältig das Lager bereiten.*)

DER KULI: Hoffentlich merkt er nichts. Ich kann so schlecht Gras schneiden mit dem einen Arm.

DER KAUFMANN: Ein Dummkopf, der sich nicht vorsieht. Vertrauen ist Dummheit. Der Mann ist durch mich geschädigt worden, unter Umständen für die Zeit seines Lebens. Es ist nur richtig von ihm, wenn er es mir zurückzahlt. Und der schlafende starke Mann ist nicht stärker als der schlafende schwache. Der

Mensch sollte nicht schlafen müssen. Allerdings wäre es besser, im Zelt zu sitzen; hier im Freien drohen Krankheiten. Aber welche Krankheit könnte so gefährlich sein, wie der Mensch es ist? Für wenig Geld geht der Mann neben mir, der ich viel Geld habe. Aber die Straße ist uns beiden gleich beschwerlich. Als er müde war, wurde er geschlagen. Als der Führer sich zu ihm setzte, wurde der Führer entlassen. Als er, vielleicht wirklich der Räuber wegen, unsere Spuren im Sand verwischte, wurde ihm Mißtrauen gezeigt; als er Furcht zeigte am Fluß, bekam er meinen Revolver zu sehen. Wie kann ich mit einem solchen Mann in einem Zelt schlafen? Er kann mir doch nicht vormachen, daß er sich das alles gefallen läßt! Ich möchte wissen, was er jetzt da drinnen ausbrütet! (*Man sieht den Kuli im Zelt sich friedlich zum Schlafen legen.*) Ich wäre ein Narr, wenn ich ins Zelt ginge.

VII

DAS GETEILTE WASSER

a

DER KAUFMANN: Warum bleibst du stehen?

DER KULI: Herr, die Straße hört auf.

DER KAUFMANN: Und?

DER KULI: Herr, wenn du mich schlägst, schlage mich nicht auf den kranken Arm. Ich weiß den Weg nicht weiter.

DER KAUFMANN: Aber der Mann auf der Station Han hat ihn dir doch erklärt.

DER KULI: Ja, Herr.

DER KAUFMANN: Als ich dich fragte, ob du ihn verstanden hast, hast du ja gesagt.

DER KULI: Ja, Herr.

DER KAUFMANN: Und du hast ihn nicht verstanden?

DER KULI: Nein, Herr!

DER KAUFMANN: Warum hast du dann ja gesagt?

DER KULI: Ich hatte Furcht, du jagst mich davon. Ich weiß nur, daß es den Wasserlöchern entlang gehen soll.

DER KAUFMANN: Dann geh den Wasserlöchern entlang.

DER KULI: Ich weiß aber nicht, wo sie sind.

DER KAUFMANN: Geh weiter! Und versuche nicht, mich dumm zu machen. Ich weiß doch, daß du den Weg schon früher gegangen bist.
(*Sie gehen weiter.*)

DER KULI: Aber wäre es nicht besser, wir warteten auf die hinter uns?

DER KAUFMANN: Nein.
(*Sie gehen weiter.*)

b

DER KAUFMANN: Wohin läufst du eigentlich? Das ist doch jetzt nach Norden. Osten ist dort. (*Der Kuli geht in dieser Richtung weiter.*) Halt! Was fällt dir denn ein? (*Der Kuli bleibt stehen, schaut aber den Herrn nicht an.*) Warum siehst du mir denn nicht in die Augen?

DER KULI: Ich dachte, dort sei Osten.

DER KAUFMANN: Du wart einmal, Bursche! Dir werde ich schon zeigen, wie man mich führt. (*Er schlägt ihn.**) Weißt du jetzt, wo Osten ist?

DER KULI (*brüllt*): Nicht auf den Arm.

DER KAUFMANN: Wo ist Osten?

DER KULI: Dort.

DER KAUFMANN: Und wo sind die Wasserlöcher?

DER KULI: Dort.

DER KAUFMANN (*rasend*): Dort? Aber du gingst dorthin!

DER KULI: Nein, Herr.

DER KAUFMANN: So, du gingst nicht dorthin? Gingst du dorthin? (*Er schlägt ihn*)

DER KULI: Ja, Herr.

DER KAUFMANN: Wo sind die Wasserlöcher? (*Der Kuli schweigt. Der Kaufmann, scheinbar ruhig*) Du sagtest doch eben, du weißt, wo die Wasserlöcher sind? Weißt du es? (*Der Kuli schweigt.*)

DER KAUFMANN (*schlägt ihn*): Weißt du es?

DER KULI: Ja.

DER KAUFMANN (*schlägt ihn*): Weißt du es?

DER KULI: Nein.

DER KAUFMANN: Gib deine Wasserflasche her. (*Der Kuli gibt sie ihm.*) Ich könnte mich jetzt auf den Standpunkt stellen,* daß das ganze Wasser mir gehört, denn du hast mich falsch geführt. Aber ich tue es nicht: ich teile das Wasser mit dir. Nimm deinen Schluck, und dann weiter. (*Zu sich*) Ich habe mich vergessen; ich hätte ihn in dieser Lage nicht schlagen dürfen.

C

DER KAUFMANN: Hier waren wir schon. Da, die Spuren.

DER KULI: Als wir hier waren, konnten wir noch nicht weit vom Weg abgekommen sein.

DER KAUFMANN: Schlag das Zelt auf. Unsere Flasche ist leer. In meiner Flasche habe ich nichts. (*Der Kaufmann setzt sich nieder, während der Kuli das Zelt aufschlägt. Der Kaufmann trinkt heimlich aus seiner Flasche. Zu sich*) Er darf nicht merken, daß ich noch zu trinken habe. Sonst wird er, hat er nur einen Funken Verstand in seinem Schädel, mich niederschlagen. Wenn er sich mir nähert, schieße ich. (*Er zieht seinen Revolver und legt ihn in den Schoß.*) Wenn wir nur das vorige Wasserloch wieder erreichen könnten! Mein Hals ist schon wie zugeschnürt.* Wie lange kann ein Mensch Durst aushalten?

DER KULI: Ich muß ihm die Flasche aushändigen, die mir der Führer auf der Station gegeben hat. Sonst, wenn sie uns finden, und ich lebe noch, er aber ist halb verschmachtet, machen sie mir den Prozeß.

(*Er nimmt die Flasche und geht hinüber. Der Kaufmann sieht ihn plötzlich vor sich stehen und weiß nicht, ob der Kuli ihn hat trinken sehen oder nicht. Der Kuli hat ihn nicht trinken sehen. Er hält ihm schweigend die Flasche hin. Der Kaufmann aber, in der Meinung, es sei einer der großen Feldsteine und der Kuli, erzürnt, wolle ihn erschlagen, schreit laut auf.*)

DER KAUFMANN: Tu* den Stein weg! (*Und mit einem Revolverschuß streckt er den Kuli nieder, als der, nicht verstehend, die Flasche ihm weiter hinhält.*) Also doch! So, du Bestie. Jetzt hast du's.*

VIII
LIED VON DEN GERICHTEN

(Gesungen von den Spielern, während sie die Bühne für die Gerichtsszene umbauen.)*

Im Troß der Räuberhorden
Ziehen die Gerichte.
Wenn der Unschuldige erschlagen ist
Sammeln sich die Richter über ihm und verdammen ihn.
Am Grab des Erschlagenen
Wird sein Recht erschlagen.

Die Sprüche des Gerichts
Fallen wie die Schatten der Schlachtmesser.
Ach, das Schlachtmesser ist doch stark genug. Was braucht es
Als Begleitbrief das Urteil?

Sieh den Flug! Wohin fliegen die Aasgeier?
Die nahrungslose Wüste vertrieb sie:
Die Gerichtshöfe werden ihnen Nahrung geben.
Dorthin fliehen die Mörder. Die Verfolger
Sind dort in Sicherheit. Und dort
Verstecken die Diebe ihr Diebesgut, eingewickelt
In ein Papier, auf dem ein Gesetz steht.

IX
GERICHT

(Der Führer und die Frau des Getöteten sitzen schon im Gerichtssaal.)

DER FÜHRER *(zur Frau)*: Sind Sie die Frau des Getöteten? Ich bin der Führer, der Ihren Mann engagiert hat. Ich habe gehört, daß Sie in diesem Prozeß die Bestrafung des Kaufmanns und Schadenersatz verlangen. Ich bin sogleich hergekommen, denn ich habe den Beweis, daß Ihr Mann unschuldig getötet wurde. Er ist hier in meiner Tasche.

DER WIRT (*zum Führer*): Ich höre, daß du einen Beweis in der Tasche hast. Ich gebe dir einen Rat: laß ihn in der Tasche.

DER FÜHRER: Aber soll die Frau des Kulis leer ausgehen?*

DER WIRT: Aber willst du auf die schwarze Liste kommen?*

DER FÜHRER: Ich werde deinen Rat bedenken.

(*Das Gericht nimmt Platz, auch der angeklagte Kaufmann sowie die zweite Karawane und der Wirt.*)

DER RICHTER: Ich eröffne die Verhandlung. Die Frau des Getöteten hat das Wort.

DIE FRAU: Mein Mann hat diesem Herrn das Gepäck durch die Wüste Jahi getragen. Kurz vor Beendigung der Reise hat ihn der Herr niedergeschossen. Wenn mein Mann dadurch auch nicht wieder lebendig wird,* so verlange ich doch, daß sein Mörder bestraft wird.

DER RICHTER: Außerdem verlangen Sie einen Schadenersatz.

DIE FRAU: Ja, weil mein kleiner Sohn und ich den Ernährer verloren haben.

DER RICHTER (*zur Frau*): Ich mache Ihnen ja keinen Vorwurf. Der materielle Anspruch schändet Sie gar nicht. (*Zur zweiten Karawane*) Hinter der Expedition des Kaufmanns Karl Langmann kam eine Expedition, der sich auch der entlassene Führer der ersteren angeschlossen hatte. Man sichtete, kaum eine Meile von der Route entfernt, die verunglückte Expedition. Was sahen Sie, als Sie näherkamen?

DER LEITER DER ZWEITEN KARAWANE: Der Kaufmann hatte nur mehr ganz wenig Wasser in der Flasche und sein Träger lag erschossen im Sand.

DER RICHTER (*zum Kaufmann*): Haben Sie den Mann erschossen?

DER KAUFMANN: Ja. Er griff mich unvermutet an.

DER RICHTER: Wie griff er Sie an?

DER KAUFMANN: Er wollte mich hinterrücks mit einem Feldstein erschlagen.

DER RICHTER: Haben Sie eine Erklärung für den Grund seines Angriffs?

DER KAUFMANN: Nein.

DER RICHTER: Haben Sie Ihre Leute sehr stark angetrieben?

DER KAUFMANN: Nein.

DER RICHTER: Ist hier der entlassene Führer, der den ersten Teil der Reise mitmachte?

DER FÜHRER: Ich.

DER RICHTER: Äußern Sie sich dazu.

DER FÜHRER: Soviel ich wußte, handelte es sich für den Kaufmann darum, wegen einer Konzession möglichst rasch in Urga zu sein.

DER RICHTER (*zum Leiter der zweiten Karawane*): Hatten Sie den Eindruck, daß die vor Ihnen marschierende Expedition ungewöhnlich schnell marschierte?

DER LEITER DER ZWEITEN KARAWANE: Nein, nicht ungewöhnlich. Sie hatten einen ganzen Tag Vorsprung und hielten ihn.

DER RICHTER (*zum Kaufmann*): Dazu müssen Sie doch aber angetrieben haben?

DER KAUFMANN: Ich trieb überhaupt nicht an. Das war Sache des Führers.*

DER RICHTER (*zu dem Führer*): Hat Ihnen der Angeklagte nicht ausdrücklich nahegelegt, den Träger besonders anzutreiben?

DER FÜHRER: Ich trieb nicht mehr an als gewöhnlich, eher weniger.

DER RICHTER: Warum wurden Sie entlassen?

DER FÜHRER: Weil ich mich nach Ansicht des Kaufmanns mit dem Träger zu freundlich stellte.

DER RICHTER: Und das sollten Sie nicht? Hatten Sie den Eindruck, daß der Kuli, der also nicht freundlich behandelt werden durfte, ein aufsässiger Mensch war?

DER FÜHRER: Nein, er ertrug alles, weil er, wie er mir sagte, Angst hatte, seine Arbeit zu verlieren. Er war in keiner Gewerkschaft.

DER RICHTER: Hatte er also viel zu ertragen? Antworten Sie. Und besinnen Sie sich nicht immer auf Ihre Antworten! Die Wahrheit kommt ja doch heraus.

DER FÜHRER: Ich war nur bis zur Station Han dabei.

DER WIRT (*zu sich*): Richtig, Führer!

DER RICHTER (*zum Kaufmann*): Ist danach etwas vorgefallen, was den Angriff des Kulis erklären könnte?

DER KAUFMANN: Nein, nichts von meiner Seite.

DER RICHTER: Hören Sie, Sie dürfen sich nicht weißer waschen wollen, als Sie sind. So kommen Sie ja nicht durch, Mann. Wenn Sie Ihren Kuli so mit Handschuhen angefaßt haben, wie erklären Sie dann den Haß des Kulis gegen Sie? Doch nur, wenn Sie den Haß glaubhaft machen können, können Sie auch glaubhaft machen, daß Sie in Notwehr gehandelt haben. Immer denken!

DER KAUFMANN: Ich muß etwas gestehen. Ich habe ihn doch einmal geschlagen.

DER RICHTER: Aha, und Sie glauben, daß aus diesem einen Mal bei dem Kuli solch ein Haß entstand?

DER KAUFMANN: Nein, aber ich habe ihm doch den Revolver in den Rücken gehalten, als er nicht über den Fluß wollte. Und beim Übergang über den Fluß brach er sich doch den Arm. Auch daran war ich schuld.

DER RICHTER (*lächelnd*): Nach Ansicht des Kulis.

DER KAUFMANN (*ebenfalls lächelnd*): Natürlich. In Wirklichkeit habe ich ihn herausgezogen.

DER RICHTER: Nun also. Nach der Entlassung des Führers gaben Sie dem Kuli Anlaß, Sie zu hassen. Und vorher? (*Eindringlich zum Führer*) Geben Sie es doch zu, daß der Mensch den Kaufmann haßte. Wenn man es sich überlegt, ist es eigentlich selbstverständlich. Es ist ja begreiflich, daß ein Mann, der, schlecht entlohnt, mit Gewalt in Gefahren getrieben wird und für den Vorteil eines anderen sogar Schaden an seiner Gesundheit nimmt, für fast nichts sein Leben riskiert, dann diesen anderen haßt.

DER FÜHRER: Er haßte ihn nicht.

DER RICHTER: Wir wollen jetzt den Wirt der Station Han verhören, ob vielleicht er uns etwas berichten kann, woraus wir uns eine Vorstellung machen können über das Verhältnis des Kaufmanns zu seinem Personal. (*Zum Wirt*) Wie hat der Kaufmann seine Leute behandelt?

DER WIRT: Gut.

DER RICHTER: Soll ich die Leute hier hinausschicken? Glauben Sie, daß Sie in Ihrem Geschäft geschädigt werden, wenn Sie die Wahrheit sagen?

DER WIRT: Nein, das ist in diesem Fall nicht nötig.

DER RICHTER: Wie Sie wollen.

DER WIRT: Er hat dem Führer sogar Tabak gegeben und ihm anstandslos seinen ganzen Lohn ausbezahlt. Und auch der Kuli wurde gut behandelt.

DER RICHTER: Ihre Station ist die letzte Polizeistation auf dieser Route?

DER WIRT: Ja, danach beginnt die menschenleere Wüste Jahi.

DER RICHTER: Ah so! Es handelte sich also bei der Freundlichkeit des Kaufmanns mehr um eine durch die Umstände gegebene, wohl auch kurzbefristete, sozusagen taktische Freundlichkeit. Auch im Kriege ließen es sich unsere Offiziere ja angelegen sein, der Mannschaft, je näher man an die Front kam, desto menschlicher zu begegnen. Solche Freundlichkeiten haben natürlich nichts zu sagen.*

DER KAUFMANN: Er hatte zum Beispiel immer gesungen beim Marschieren. Von dem Augenblick an, wo ich ihn mit dem Revolver bedrohte, um ihn über den Fluß zu bringen, habe ich ihn auch nie mehr singen hören.

DER RICHTER: Er war also völlig verbittert. Das ist ja begreiflich. Ich muß wieder zurückgreifen auf den Krieg. Auch da konnte man ja einfache Leute verstehen, wenn sie zu uns Offizieren sagten: ja, ihr führt euren Krieg, aber wir führen den euren! So konnte auch der Kuli zum Kaufmann sagen: du machst dein Geschäft, aber ich mache das deine!

DER KAUFMANN: Ich muß noch ein Geständnis machen. Als wir uns verirrt hatten, habe ich eine Flasche Wasser mit ihm geteilt, aber die zweite wollte ich allein trinken.

DER RICHTER: Hat er Sie vielleicht gesehen beim Trinken?

DER KAUFMANN: Das nahm ich an, als er mit dem Stein in der Hand auf mich zutrat. Ich wußte, daß er mich haßte. Als wir in die menschenleere Gegend kamen, war ich Tag und Nacht auf meiner Hut. Ich mußte annehmen, daß er bei der ersten Gelegenheit über mich herfallen würde. Wenn ich ihn nicht getötet hätte, hätte er mich getötet.

DIE FRAU: Ich möchte etwas sagen. Er kann ihn nicht angegriffen haben. Er hat noch nie jemand angegriffen.

DER FÜHRER: Seien Sie ruhig. Ich habe den Beweis seiner Unschuld in meiner Tasche.

DER RICHTER: Hat man den Stein gefunden, mit dem der Kuli Sie bedrohte?

DER LEITER DER ZWEITEN KARAWANE: Der Mann (*deutet au den Führer*) hat ihn aus der Hand des Toten genommen.
(*Der Führer zeigt die Flasche.*)

DER RICHTER: Ist das der Stein? Erkennen Sie ihn wieder?

DER KAUFMANN: Ja, das ist der Stein.

DER FÜHRER: So sieh, was in dem Stein ist. (*Er gießt Wasser aus.*)

ERSTER BEISITZER: Er ist eine Wasserflasche und kein Stein. Er hat Ihnen Wasser gereicht.

ZWEITER BEISITZER: Jetzt sieht es ja so aus, als habe er ihn gar nicht erschlagen wollen.

DER FÜHRER (*umarmt die Witwe des Getöteten*): Siehst du, ich konnte es beweisen: er war unschuldig. Ich konnte es ausnahmsweise beweisen. Ich habe ihm nämlich bei seinem Aufbruch auf der letzten Station diese Flasche gegeben, der Wirt ist Zeuge, und dies ist meine Flasche.

DER WIRT (*zu sich*): Dummkopf! Jetzt ist nur auch er verloren!*

DER RICHTER: Das kann nicht die Wahrheit sein. (*Zum Kaufmann*) Er soll Ihnen zu trinken gegeben haben!

DER KAUFMANN: Es muß ein Stein gewesen sein.

DER RICHTER: Nein, es war kein Stein. Sie sehen doch, daß es eine Wasserflasche war.

DER KAUFMANN: Aber ich konnte nicht annehmen, daß es eine Wasserflasche sei. Der Mann hatte keinen Grund, mir zu trinken zu geben. Ich war nicht sein Freund.

DER FÜHRER: Aber er gab ihm zu trinken.

DER RICHTER: Aber warum gab er ihm zu trinken? Warum?

DER FÜHRER: Wohl weil er glaubte, daß der Kaufmann Durst habe. (*Die Richter lächeln sich an.*) Wahrscheinlich aus Menschlichkeit. (*Die Richter lächeln wieder.*) Vielleicht aus Dummheit, denn ich glaube, er hatte gar nichts gegen den Kaufmann.

DER KAUFMANN: Dann muß er sehr dumm gewesen sein. Der Mann war durch mich geschädigt worden, unter Umständen für die Zeit seines Lebens. Der Arm! Es war nur richtig von ihm, wenn er es mir zurückzahlen wollte.

DER FÜHRER: Es war nur richtig.

DER KAUFMANN: Für wenig Geld ging der Mann neben mir, der ich* viel Geld habe. Aber die Straße war uns beiden gleich beschwerlich.

DER FÜHRER: Das weiß er also.

DER KAUFMANN: Als er müde war, wurde er geschlagen.

DER FÜHRER: Und das ist nicht richtig?

DER KAUFMANN: Anzunehmen, der Kuli würde mich nicht bei der ersten Gelegenheit niederschlagen, hätte bedeutet anzunehmen, er habe keine Vernunft.

DER RICHTER: Sie meinen, Sie haben mit Recht angenommen, der Kuli müsse etwas gegen Sie haben. Dann hätten Sie zwar einen unter Umständen Harmlosen getötet, aber nur weil Sie nicht wissen konnten, daß er harmlos ist. Das haben wir bei unserer Polizei mitunter. Sie schießen in eine Menge, Demonstranten, ganz friedliche Leute, nur weil sie sich nicht vorstellen können, daß diese Leute sie nicht einfach vom Pferd reißen und lynchen. Diese Polizisten schießen eigentlich alle aus Furcht. Und daß sie Furcht haben, ist ein Beweis von Vernunft. Sie meinen, Sie konnten nicht wissen, daß der Kuli eine Ausnahme bildete!

DER KAUFMANN: Man muß sich an die Regel halten und nicht an die Ausnahme.

DER RICHTER: Ja, das ist es: welchen Grund sollte dieser Kuli gehabt haben, seinem Peiniger zu trinken zu geben?

DER FÜHRER: Keinen vernünftigen!

DER RICHTER (*singt*):

Die Regel ist: Auge um Auge!*
Der Narr wartet auf die Ausnahme.
Daß ihm sein Feind zu trinken gibt
Das erwartet der Vernünftige nicht.

DER FÜHRER (*singt*):

In dem System, das sie gemacht haben
Ist Menschlichkeit eine Ausnahme.

Wer sich also menschlich erzeigt
Der trägt den Schaden davon.
Fürchtet für jeden, ihr*
Der freundlich aussieht!
Haltet ihn zurück
Der da jemand helfen will!

Neben dir durstet einer: schließe schnell deine Augen!
Verstopf dein Ohr: neben dir stöhnt jemand!
Halte deinen Fuß zurück: man ruft dich um Hilfe!
Wehe dem, der sich da vergißt! Er
Gibt einem Menschen zu trinken und
Ein Wolf trinkt.

DER RICHTER: Wir beraten jetzt.
(*Das Gericht zieht sich zurück.*)

DER LEITER DER ZWEITEN KARAWANE: Haben Sie keine Angst, daß Sie nie mehr eine Stelle bekommen?

DER FÜHRER: Ich mußte die Wahrheit sagen.

DER LEITER DER ZWEITEN KARAWANE (*lächelnd*): Ja, wenn Sie müssen . . .
(*Das Gericht kommt zurück.*)

DER RICHTER (*zum Kaufmann*): Das Gericht stellt noch eine Frage an Sie. Sie hatten doch durch die Erschießung des Kulis nicht etwa* einen Vorteil?

DER KAUFMANN: Im Gegenteil. Ich brauchte ihn doch zu dem Geschäft, das ich vorhatte* in Urga. Er trug doch die Karten und die Vermessungstabellen, die ich brauchte. Allein war ich doch nicht imstande, meine Sachen zu tragen!

DER RICHTER: Sie haben Ihr Geschäft in Urga also nicht gemacht?

DER KAUFMANN: Natürlich nicht. Ich kam zu spät. Ich bin ruiniert.

DER RICHTER: Dann verkündige ich also das Urteil:* Das Gericht unterstellt als bewiesen, daß der Kuli nicht mit einem Stein, sondern mit einer Wasserflasche sich seinem Herrn näherte. Aber selbst dies vorausgesetzt, ist es eher noch zu glauben, daß der Kuli seinen Herrn mit der Wasserflasche erschlagen wollte, als ihm zu trinken zu geben. Der Träger gehörte einer

Klasse an, die tatsächlich einen Grund hat, sich benachteiligt zu fühlen. Für solche Leute wie den Träger war es nichts als pure Vernunft,* sich vor einer Übervorteilung bei der Verteilung des Wassers zu schützen. Ja, sogar gerecht mußte es diesen Leuten bei ihrem beschränkten und einseitigen, nur an der Wirklichkeit haftenden Standpunkt erscheinen, sich an ihrem Peiniger zu rächen. An dem Tag der Abrechnung hatten sie doch nur zu gewinnen.* Der Kaufmann gehörte nicht der Klasse an, der sein Träger angehörte. Er mußte sich von ihm des Schlimmsten versehen. Der Kaufmann konnte nicht an einen Akt der Kameradschaft bei dem von ihm zugestandenermaßen gequälten Träger glauben. Die Vernunft sagte ihm, daß er aufs stärkste bedroht sei. Die Menschenleere der Gegend mußte ihn mit Besorgnis erfüllen. Die Abwesenheit von Polizei und Gerichten machte es seinem Angestellten möglich, seinen Teil vom Trinkwasser zu erpressen und ermutigte ihn. Der Angeklagte hat also in berechtigter Notwehr gehandelt, gleichgültig, ob er bedroht wurde oder nur sich bedroht fühlen mußte. Den gegebenen Umständen gemäß mußte er sich bedroht fühlen. Der Angeklagte wird also freigesprochen, die Frau des Toten mit ihrer Klage abgewiesen.

DIE SPIELER:

So endet
Die Geschichte einer Reise.
Ihr habt gehört und ihr habt gesehen.
Ihr saht das Übliche, das immerfort Vorkommende.
Wir bitten euch aber:
Was nicht fremd ist, findet befremdlich!
Was gewöhnlich ist, findet unerklärlich!
Was da üblich ist, das soll euch erstaunen.
Was die Regel ist, das erkennt als Mißbrauch
Und wo ihr den Mißbrauch erkannt habt
Da schafft Abhilfe!

Notes

DER OZEANFLUG

p. 3 **Die erste Befliegung des Ozeans:** In the original version it read 'Den Ozeanflug des Kapitän Lindbergh'.

Steig ein: A clear indication that the listener is to identify with the flyer despite Brecht's theories. It is only a *total* ('hypnotic') empathy which Brecht rejects.

Die Flieger: The 1929 version has 'Die Lindberghs' throughout. The *Uhu* version had it in the singular.

p. 4 **Mein Name tut nichts zur Sache:** 'My name is irrelevant'. The earlier version read 'Mein Name ist Charles Lindbergh' (see Introduction, pp. xix, xxxiii). His name was in fact a household word all over Europe, and an unscaled peak in the Rockies already bore it. Charles A. Lindbergh was born on 4 February 1902, at Detroit, spent his early years mostly in Minnesota and Washington D.C., studied at the University of Wisconsin and flying schools in Nebraska and Texas, and became an airmail pilot in 1926. After his historic flight he twice more hit the headlines: once, tragically, when his baby son was kidnapped and killed in 1932, a crime which resulted in a Federal Act which also bears his name; and again after his decoration by Germany in 1938, when he became an ardent isolationist, though he later supported the war against Japan.

Mein Großvater war Schwede: Lindbergh's grandfather had been a member of the Swedish parliament and even Royal Secretary in Stockholm.

p. 4 **Meinen Apparat:** Attracted by Raymond Orteig's offer of a $25,000 prize, Lindbergh planned his flight in the autumn of 1926, backed by a group of St Louis businessmen. He placed an order with Ryan Airlines of San Diego in February 1927 and himself supervised a team of engineers headed by Donald Hall. The 'Spirit of St Louis' was given its first tests at the end of April at Camp Kearney, when it averaged a speed of 130 m.p.h. It was powered by a 200 h.p. Wright Whirlwind J5 radial air-cooled engine.

Ich habe bei mir: The list, which in its context attains the strangely poetic effect of the 'found' poetry of recent years, is taken almost verbatim from Lindbergh's account of the flight in *We* published the same year, omitting only a few sundries, including a repair-kit, air cushion and pump, and a so-called Armburst cup, an ingenious device for converting breath moisture into drinking water for emergencies.

p. 5. **Blériot:** Louis Blériot (1872–1936) made the first air crossing of the English Channel from Calais to Dover in just over 27 minutes on 25 July 1909. He was among those who welcomed Lindbergh at Le Bourget.

3,000: The total distance of the flight was 3,610 miles, but the actual stretch of water crossed only 1,850. Alcock and Brown had made their pioneer crossing of this (from St John's, Newfoundland, to Clifdon, Ireland) on 14–15 June 1919 in 16 hours, 27 minutes.

8 Uhr: Lindbergh took off from Roosevelt Field, Long Island, at 7.52 on the morning of 20 May. His route took him via Cape Cod, Nova Scotia, Newfoundland, Cape Valentia, Dingle Bay, Plymouth and Cherbourg. He landed in Le Bourget near Paris at 10.22 p.m. on 21 May, the crossing having taken 33½ hours.

p. 6 **der Nebel:** Lindbergh ran into fog almost immediately over the Atlantic, and it did not clear for many hours.

p. 7 **Entweder mit dem Schild oder auf dem Schild:** A reference to Plutarch's now proverbial anecdote (*Moralia*, 241, F16) of the Spartan mother who bade her warrior son return from battle either with his shield (i.e. in honour) or upon it (i.e. honourably dead). Brecht consistently rejected any form of rash heroism, which accounts for his attack as a schoolboy on the Horatian sentiment *dulce et decorum est pro patria mori* (see Introduction p. ix).

Mache ich nicht mit: 'I'm not going to play along with that'.

p. 8 **Schneesturm:** Ice formed on the wings and threatened to force Lindbergh to turn back, but it dropped off after a time.

runter: Colloquial for 'herunter'.

p. 9 **zwei Männer:** Charles Nungesser and François Coli (see Introduction, p. xxxiv).

Schlaf: This was a very real threat and is vividly described in Lindbergh's later book *My Flight across the Atlantic* (1953), for which he received the Pulitzer prize. When he arrived at his hotel in Paris he had not slept for 63 hours.

p. 10 **dialektischen Ökonomie:** Brecht's pilot means the economic basis of Marxist communism, according to which the competitive nature of capitalism will ruin all non-communist economies, whereas a communist economy is theoretically indestructible since there is no gap between productivity and pay (i.e. 'exploitation'). The real Captain Lindbergh, of course, believed no such thing.

p. 11 **welche Dummheiten ich glaube:** The real Captain Lindbergh spoke in a perfectly orthodox way of religion and even carried a St Christopher with him on his flight. Probably Brecht found a newspaper comment to this effect, based on interviews.

p. 11 **Die Revolution liquidiert ihn:** An unfortunate choice of words. The Revolution certainly liquidated many, especially in the decade after this play was written, but if the present growth of religious fervour in the Soviet Union, despite bitter persecution, is anything to go by, God was not among their number! The idea is that the Revolution will dispel ignorance ('Unkenntnis') about the exploitation of the workers and the fact that God is a bourgeois device to lull them into passivity (see Introduction, p. xxxi *et seq.*).

p. 12 **Will nicht mehr recht:** 'Isn't working properly any more.'

Irgendwas stimmt nicht: 'Something's wrong'.

p. 14 **da:** Here colloquial for 'so'.

p. 15 **Wir zwei:** This was, in fact, the title of the German translation of *We* (Leipzig, 1927), and may well have suggested to Brecht the 'V-effekt' of pluralizing the role. Lindbergh himself later wrote: '*We* have made this flight across the ocean, not *I* or *it*' (*My Flight*, p. 486).

Hast du kühl genug?: 'Are you cool enough?'

p. 16 **unweit Schottlands:** Brecht's Lindbergh is much further off-course than his historical counterpart ever was! The latter passed over the southernmost tip of Ireland (County Kerry), crossing Dingle Bay. The amusing incident with the fisherman did take place, though he actually shouted 'Which way is Ireland?' (*We*, p. 222).

Kann . . . Über das Wasser: The verb 'fliegen' is omitted, as often with modals in contexts expressing motion. 'Ich will hinaus', 'er muß nach Hause', etc., cf. 'The truth will out'.

p. 16 **einstecken:** coll., lit., 'put it in its pocket', i.e. 'do for,' 'finish off'.

p. 17 **Riesenmenge;** A crowd of 50,000 gave Lindbergh a tumultuous reception. His plane was pillaged for souvenirs and even the log-book was stolen. French police helped Lindbergh to 'escape' by putting his helmet on a reporter!

p. 18 **daß keiner sehe:** 'so that no one may see'.
Wägen: A South German variant of the more usual plural form 'Wagen'.
Ausgenommen: Usually regarded as a preposition governing the accusative and following the noun, but it can act as a conjunction or adverb, as here. Here it represents 'nur nicht'.

p. 19 **2. Jahrtausends:** In all editions to date '3. *Jahrtausend*', in error, corrected in the opening chorus of the *Badener Lehrstück.*
vergessend: Corrected to 'vergessen' in the *Badener Lehrstück.*

DAS BADENER LEHRSTÜCK VOM EINVERSTÄNDNIS

p. 20 **die Trümmer eines Flugapparates:** On this use of purely allusive scenery Brecht writes: 'Die Bühne begnügt sich stets mit Andeutungen bei allem was nicht mitspielt. Freilich sind die Andeutungen Anregungen. Sie beleben die Fantasie des Zuschauers, welche durch "Vollständigkeit" gelähmt wird' (*SzT*, p. 258). This feature of the *Lehrstücke* was freely imitated by many other dramatists, particularly by R. Loebner, who suggests the wreckage of the *Titanic* in the same way.

p. 21 **über den Kämpfen:** 'in the heat of combat'. 'Über' + dative is frequent in the sense 'over one's books', 'over coffee', etc.

p. 22 **Über die Erkaltenden hinweg:** 'over the heads of . . .', i.e. without asking their opinion.

p. 23 **Das Brot wurde dadurch nicht billiger:** This marks a reversal of the scientific optimism of the *Ozeanflug*, which, oddly enough, Lindbergh himself later endorsed when he wrote: '. . . unlike the early years of aviation our dreams of tomorrow are disturbed by the realities of today. In the new, almost superhuman world we find alarming imperfections. We have seen the aircraft to which we devoted our lives destroying the civilization that created them.' (*My flight across the Atlantic*, 1953, p. ix.) The same theme was continued by Loebner and Stelloh in their play *Titanic* (1957).
Über den Gang der Erde um die Sonne: This refers especially to Galileo, whom Brecht made the representative of the spirit of scientific progress (*Leben des Galilei*, 1939), but later (1945) rather of the criminal irresponsibility of pure research undertaken without reference to the needs of mankind.

p. 24 **Clownsnummer:** see Introduction, p. xxxv. The whole scene is not far removed from the sinister buffoonery of Beckett's metaphysical tramps in *Waiting for Godot* (1952), and Adamov even introduces the mutilation motif as a literal metaphor in *La grande et la petite Manoevre* (1950).

p. 25 **warum kriechst du Herrn Schmitt immer in den Arsch?:** This vulgar idiom is fairly common in the sense 'to grease round' or 'to suck up to' someone.
wo: (conj.) 'seeing'.

p. 27 **so haben Sie sich gründlich — :** He would probably have added 'getäuscht' or 'verrechnet': 'you're quite mistaken if – '.

p. 30 **Der noch nicht zu entbehrenden Gewalt:** 'of violence which cannot yet be dispensed with'. This use of a present participle + 'zu' is a common German imitation of the Latin gerundive of obligation, c.f. Cato's famous exhortation to the Roman Senate, 'Delenda est Carthago': 'Carthage must be destroyed.' Thus 'eine zu überwindende Schwierigkeit': 'a difficulty which must be overcome'.

p. 32 **Kommentar:** This commentary, taken from an unpublished, fragmentary drama, *Untergang des Egoisten Johann Fatzer*, written at about the same time, has a pronouncedly biblical ring. Brecht was once asked what had had the greatest influence on his style, and he replied, at least semi-seriously: 'Sie werden lachen, die Bibel!' The first lines are clearly a serious parallel to Matthew 13, xii, which in Luther's translation reads: 'Denn wer da hat, dem wird gegeben, dass er die Fülle habe; wer aber nicht hat, von dem wird auch genommen, was er hat'. The idea of the 'kleinste Grösse' is similarly based on Luke 9, xlviii. The gist of this rather difficult 'scriptural' passage is that the Revolution demands complete self-submission and 'obedience unto death'; c.f. also Introduction, p. xxxvi; and the note on *einverstanden mit Falschem* on p. 126.

p. 36 **Charles Nungesser:** cf. *Ozeanflug*, p. 9 and note. Born 1892, he was a French air-ace in the First World War.

p. 40 **dessen:** Genitive with *bedürfen*, the whole clause being the object of *verweigerte*.

p. 42 **gezeichnet:** 'a marked man'. The original 'marked man' was Cain (Genesis 4, xv), whence the idiom in both languages; 'vom Tode gezeichnet' for 'doomed' is common.

p. 42 **gearbeitet habt eure Arbeit:** *Arbeiten* is made transitive, which adds another biblical overtone to the style, *cf.* John 6, xxviii.

Umwälzung: This indigenous German word for revolution is always used in the context of the Industrial Revolution, less frequently in others.

Richtet euch also sterbend: The dying fliers are apostrophized symbolically for their successors, whose energies will be more consciously devoted to society than their own have been.

p. 43 **Einverstanden, daß alles verändert wird:** On the theme of change see Introduction p. xxiii.

p. 44 **So verändert die veränderte Menschheit:** This plea suggests Trotski's 'revisionist' doctrine of continuous revolution, now rejected by Soviet communism but exuberantly hailed by the supporters of Mao Tse-tung.

DER JASAGER AND DER NEINSAGER

p. 45 **Einverständnis:** See Introduction, p. xxxviii. This chorus, repeated at the end, stresses the need for acquiescence, like the previous *Lehrstück*, i.e. the subordination and, where necessary, the sacrifice of the individual to the needs of the community as a whole. Here the stress is on the intellect, however, rather than the will. Brecht's hero has to understand why his sacrifice is necessary (*Jasager*) and be prepared to refuse it (*Neinsager*) if his intellect cannot be convinced of the necessity.

einverstanden mit Falschem: Brecht was certainly thinking of the supporters of National Socialism, which had assumed alarming proportions in that year (1929, the beginning of the World Depression: the Nazis polled nearly six million votes in a national plebiscite). Its creed was irrational, based on the unsupported myth of Aryan superiority, and therefore only mindless 'yes-men' could be 'einverstanden' with it. After 1933, when Hitler's dictatorship was fully consolidated, any 'Neinsager' went in constant fear of his life. Brecht recaptures admirably the mood of these years of terror in his play *Furcht und Elend des dritten Reiches.*

Ich bin der Lehrer: Arthur Waley: 'I am a teacher. I keep a school at one of the temples in the City. I have a pupil whose father is dead; he has only his mother to look after him. Now I will go and say good-bye to them, for I am soon starting on a journey to the mountains. May I come in?' Brecht sticks very close to Waley's text, translated for him by Elisabeth Hauptmann. He adds the motif of the plague, however, in this revised version, omitting it again in his *Neinsager* (see Introduction, p. xxxviii). In the original Nô play, the teacher introduces himself as a *Yamabushi*, i.e. a member of an ancient Buddhist order of lay monks, whose mystic cult included elements of Shintoism. (The journey is a ritual pilgrimage.) His part is taken by a *waki* (secondary actor), who walks solemnly along the *hashigakari* (a long, open corridor) to take up his position on the stage and introduce himself.

Er klopft an die Tür: Brecht suggests a skeletal frame to serve as a partition between house and street, but the Nô plays did not even allow this concession to realism. See Introduction, p. xxxvii.

Der Knabe: Zenchiku gave him the name Matsuwaka, but Brecht omits it in the Expressionist manner, to emphasize the timelessness of the action.

p. 46 **Die Mutter:** In the traditional Nô production this part would be taken by the principal actor (*shite*), there being (as in the Tudor theatre) no actresses. The same actor took the role of an angel in the next scene.

Leider geht es mir nicht besser: Note the difference in the *Neinsager*, which uses a speech from the original *Jasager.*

die großen Ärzte: Earlier 'die großen Lehrer' (see *Neinsager*).

p. 46 **Hilfsexpedition:** Originally 'Forschungsreise'. Elisabeth Hauptmann had translated Waley's 'ritual mountain-climbing' by 'eine Pilgerreise in die Berge'.

p. 47 **Unterweisung:** These two lines are retained from the first version, whereas Waley had: 'I will go with you to pray for her'.
Aus meinem Gedächtnis und aus meinen Augen: 'out of my thoughts and out of my sight'; cf. 'Aus den Augen, aus dem Sinn': 'out of sight, out of mind'.
Das Geld zu beschaffen: Brecht ignores Waley's (gratuitous) poeticism: 'for as long a time as it takes a dewdrop to dry'; and adds a touch of realism instead.

p. 48 **Der Knabe, die Mutter, der Lehrer:** This operatic ensemble has no counterpart in *Tanikô*.
Da sagten: The idea for this 'epic' intervention, whereby the choir introduces the words of the characters is a Brechtian innovation, though the principle of a narrative chorus is essentially Asiatic. Brecht has taken up a hint in Waley's very free translation: 'Chorus: They saw no plea could move him. The master and mother with one voice: "Alas for such deep piety, deep as our heavy sighs." The mother said, "I have no strength left . . ." '.
Der große Chor: *Tanikô* at this point has a longish lyrical chorus of Yamabushi pilgrims, describing the journey with elaborate allusions to classical Japanese poetry. Waley omitted it from his translation.
nicht gewachsen: 'not up to'.

p. 49 **Studenten:** In *Tanikô* they are pilgrims.
das Podest: A wooden dais (*ichi-jô-dai*), one of the standard 'props' of the Nô stage, is actually required by the stage-directions of *Tanikô*. It would be brought in, in full view of the audience, by scene-shifters (*kôken*) who were plainly dressed to indicate that they are not involved in the action.

p. 50 **der schmale Grat:** Brecht added this detail later to show the impossibility of rescue.
Technikum: 'practical directions'. They have been added to the original at the suggestion of Brecht's young critics of the Karl Marx Schule (see Introduction, p. xxxviii).
Was auch sei: 'whatever happens'.

p. 51 **der Brauch:** Any mention of the Custom here is somewhat incongruous (see Introduction, p. xxxix and note on 'der große Brauch' in *Der Neinsager*).
der Notwendigkeit gemäß: Originally 'dem Brauch gemäß'.

p. 52 **ich fürchte mich, allein zu sterben:** In *Tanikô* and *Der Neinsager* the idea comes from the others, acting in accordance with a prescribed ritual.
Lehne . . . vorsichtig: These lines, not in Waley, add a touch of simple pathos.

p. 53 **Erdklumpen/Und flache Steine:** i.e. as a sign of burial, in accordance with a widespread ancient superstition concerning the fate of the unburied. Antigone likewise 'buried' her brother by sprinkling his corpse with dust, this being the minimum qualification for entrance to Hades.
This whole final chorus is in direct imitation of Waley, who merely summarized thus the elaborate end of *Tanikô*, in which the prayers of the pilgrims are answered by the appearance of an angel who brings back the child, newly restored to life, to the Teacher, who turns out to be a reincarnation of En-no-Gyôja, legendary founder of the Yamabushi sect. The angel finally describes the rest of the pilgrimage.

p. 59 **dem großen Brauch:** This Custom or Law (*taiho*) was a rigid decree based on the belief that the sickness was a sign from the gods that the pilgrim was impure and therefore a threat to the pilgrimage as a whole. Its function in the *Neinsager* cannot, of course, have the significance which it had for the Japanese in its religious context. This is an inevitable weakness of all attempts to modernize an alien mythology and likewise affects the pseudo-mythologies of Sartre, Anouilh, Giraudoux, O'Neill, etc.

p. 60 **Wer a gesagt hat, der muß auch b sagen:** A proverb indicating that one must finish a job once started. 'In for a penny, in for a pound' is perhaps the nearest English equivalent.

p. 61 **muß nicht:** 'need not'. 'Must not' is rendered 'darf nicht' or 'soll nicht' in German.

was . . . betrifft: 'as for'. The verbs 'angehen', 'anbetreffen' and 'anbelangen' are all used in this sense; cf. 'das geht mich nichts an': 'that's not my concern'.

DIE MASSNAHME

p. 63 **auch in diesem Lande Marschiert die Revolution:** The sensational development of communism in China in the twenties had made it a very topical issue in left-wing literature. In 1927 the uneasy four-year alliance between the Chinese Communist Party (of which Mao Tse-tung was a founder-member) and the Nationalist Kuomintang (led by Sun Yat-sen and Chiang Kai-shek) was ended by internal disputes which resulted in civil war. China was torn between communism and nationalism, foreign capitalist domination, 'war-lordism' and Japanese imperialism. Lenin took a great interest in China and aided the development of communism there. There was a growing concern about it in Germany from 1927, when there was an Agitprop revue *Alarm Hamburg-Schanghai*. Subsequent theatrical events reflecting this background included Plievier's *Des Kaisers Kuli* (1930), Wolf's *Tai Yang erwacht* (1931) and Tretyakov's *Brülle China* (1930).

p. 63 **Er wollte das Richtige und tat das Falsche:** cf. 'For the good that I would I do not; but the evil that I would not, that I do' (Romans 7, xix), and see note to *Kommentar* on p. 125.

p. 64 **Mukden:** Also known as Fengtien and Shenyang, with a population of nearly a million, it is the cultural and economic capital of Manchuria and was for a brief spell in the seventeenth century the capital of China. Its main industries are machinery, silk, cotton and metal.
nach der Grenze zu: 'in the direction of the frontier'.
in Bruch gefahren: 'worn out', 'falling to pieces'.

p. 65 **die Lehren der Klassiker:** i.e. the principal writings of Karl Marx (1818–83; *Das Kapital*, 1867), Friedrich Engels (1820–95; *Anti-Dühring*, 1878) and Vladimir Ilyich Lenin (1870–1924; his writings comprise no less than sixty volumes and include *Who are these 'Friends of the People'?*, 1894; *Imperialism*, 1916; and *State and Revolution*, 1917).

p. 66 **die Weltrevolution:** The ultimate triumph of the proletariat as a class the world over, still prophesied by all the communist 'classics'.
einverstanden: cf. note on *Einverständnis*, p. 126.

p. 67 **Einer der Agitatoren . . .:** Hanns Eisler noted that the same agitator later takes the role of the first Coolie (Scene III) and the Dealer (Scene V) (*BA*, 1401/43).
es liegen Kanonenboote bereit: The critical situation and the consequent need for secrecy are stressed right from the beginning. Not only can the Soviet Union not officially interfere with the internal affairs of a foreign power, but the 'classics' repeatedly stress the need for the revolution to result from the united will of the masses, not the arbitrary efforts of an élite. The East German 'revolution' of 1945 is clearly open to this criticism, since it was brought about under Soviet military occupation.

p. 67 **Karl Schmitt:** The name was originally Paul Pawlow from Leningrad. Brecht probably changed it to stress the international nature of communism and the German contribution to it. Anna Kjersk was originally Alexander Kjersk, possibly changed to accommodate Helene Weigel.
Kasan: A city on the Volga with a population of 500,000 Lenin attended the University there and was expelled from it for subversive activities.

p. 68 **Masken:** Another element from the Nô tradition. Here it indicates anonymity and also the utter eradication of the personal – a development of the most sinister theme of the *Badener Lehrstück.*
Wer für den Kommunismus kämpft: The frank presentation of communist ethics here is fundamentally Leninist in tone. It seems that under the threat of Nazism Brecht at this period was more interested in the 'practical' communism of Lenin than the purely theoretical propositions of Marx and Engels. Brecht read the German edition of Lenin's works (1930) hot from the press.

p. 69 **Und der Ruhm fragt umsonst/Nach den Tätern der großen Tat:** i.e. unlike the case of Lindbergh who was, in Brecht's opinion wrongly, idolized for his 'große Tat'.
verdeckten Gesichtes: 'with faces covered'. This genitive construction is obsolescent and adds a touch of solemnity.

p. 70 **Kulis:** The word is of Hindustani origin, meaning a labourer or porter. Even the Chinese communists regarded them as riff-raff and lower than the proletariat. See note on *Gewerkschaft* on p. 137.
Tientsin: About seventy miles south-east of Peking on the River Hai, it has a population of nearly two million and is the most important industrial centre of northern China, its main products being leather, steel and textiles.
Versuche zu erreichen, daß: 'Try to get them to . . .'.

p. 72 **Glaubt nicht, was zweitausend Jahre nicht ging, das geht nie:** See Introduction, p. xii, and cf. the poem *Der Schneider von Ulm*, where this same unbelief is ridiculed (see Appendix).

p. 73 **Ich will euch lieber erlauben:** This implicit criticism of the purely humanitarian approach to social reform is continued in *Die heilige Johanna* and *Der Brotladen*, where the Salvation Army is unfairly accused of aiding and abetting capitalism by stalling the 'inevitable' revolution with charity.

p. 74 **durften uns nicht mehr blicken lassen:** 'couldn't show our faces again'.
Klug ist nicht . . .: One of the favourite sayings of the most pragmatical of all the communists.

p. 75 **Solidarität:** Solidarity in socialist usage means the unification of the working classes in a common struggle against exploitation.

p. 79 **sich . . . solidarisch erklärten:** 'come out in sympathy' (see previous note).

p. 81 **Leiblied:** The prefix 'Leib-' like the more common 'Lieblings-', means 'favourite'; cf 'das Leibgericht': 'favourite dish', but 'die Leibwache': 'body-guard'.
Wenn wir den Reis in den Lagern lassen: i.e. when demand exceeds supply, the price will go up. It is a fact that price-stabilization in capitalist countries sometimes requires a withholding of supplies, and even wastage. In 1966, for instance, nearly 100,000 tons of good fish remained unsold in British ports, and the year before £300,000 worth of potatoes were dug back into the ground. It is said that India's famines are caused more by abuse of this practice than by genuine food shortage.

p. 82 **wofür/Wärest du dir zu gut?:** 'what indignity would you not endure'.

p. 83 **unter Gefahr:** 'at considerable risk'.

p. 85 **den klassischen Rat des Genossen Lenin:** It was Lenin's contribution to the development of communism to stress the role of the peasantry, which he called the 'semi-proletariat', especially in the case of 'pre-capitalist' countries where there was as yet no real proletariat. This contradicts Marx, but was of great importance in China, whose economy was predominantly agrarian.

p. 86 **Aktion:** The word has usually a violent political or military connotation. There is an unpublished fragment of a scene in which the Young Comrade is urged by a counter-agent to organize an attack on a government building (*BA*, 406). There are references to it in Brecht's revision of the play for Malik Verlag, 1938, reprinted by Suhrkamp in the 1967 edition.

p. 87 **besser . . . wie:** 'wie' is common in South German usage for the more correct 'als'.

p. 89 **Abzuwägen Einsatz und Möglichkeit:** i.e. weigh up the possibilities of the situation and whether to go into action or not. For 'Einsatz', cf. 'einsatzbereit': 'ready for action.'

p. 91 **Abzuschneiden den eigenen Fuß vom Körper:** A reference to Mark 9, xlv: 'And if thy foot offend thee, cut it off' (see note on *Kommentar*, p. 125).
Nicht vergönnt, nicht zu töten: This tragic dilemma of those who commit injustice to end injustice was also Lenin's, who once said to Gorki: 'It is impossible to pat people on the head today, they'd bite your hand off, so you have to strike them over the head, strike without mercy, even though we are ideally opposed to all forms of violence against people – hm, the job is infernally hard' (Gorki, *Sobranie Sochinenii* (1963), XVIII, p. 281). As one of Lenin's recent biographers puts it 'He put on an

iron glove to cover the velvet hand' (Louis Fisher, *The Life of Lenin*, 1965, p. 329).

p. 92 **Aber auch wenn er nicht einverstanden ist . . .:** An echo of the situation at the end of *Der Jasager*. There are several typewritten versions of this painful scene, which clearly gave Brecht much difficulty. In one of them the Young Comrade himself makes the suggestion: 'Dann muss ich verschwinden, und zwar ganz' (*BA*, 406).

DIE AUSNAHME UND DIE REGEL

p. 94 **Wir berichten:** In accordance with Brecht's theory the actors merely 'report' on the 'story', instead of impersonating the characters. This prologue is almost a programmatic definition of 'Verfremdung' (see Introduction, pp. xxi *et seq*).

hasten . . . durch die Wüste: Extensive use is again made of mime in imitation of Nô. Serreau made his actors simply mark time on the spot. The 1968 production by Sussex University seated the audience on two sides of the stage, and the miming of the journey took place almost 'in the round', dispensing with all props and scenery, and replacing 'period' costumes with jeans and T-shirts, with a sash to distinguish the merchant. The chorus, which did the scene-shifting and supplied minor rôles, and the three-piece *hayashi* remained on-stage throughout. A classroom imitation of this as suggested in the Preface will reveal that the basic elements of theatre are much simpler than is often believed.

p. 95 **Ich bin der Kaufmann:** cf. note on *Ich bin der Lehrer* on p. 127. Peter Cheeseman's production made him 'hawk-faced, clean-shaven and stiffly British in the manner of a Somerset Maugham empire-builder' (*The Times*, 3 February 1960).

Urga: Known since 1924 as Ulan-Bator, 'City of the

Red Hero', it is situated at the crossroads of ancient caravan routes. It is the capital of Outer Mongolia, which became Soviet Russia's first satellite in 1924, renamed the Mongolian People's Republic.

An Roheit fehlt es nicht bei euch!: Eric Bentley translated this for the Folkways recording: 'you aren't such gentle Jesuses either!'

Hier gut Freund!: The standard reply to a sentry's challenge, 'Wer da?' Translate, perhaps, 'We mean you no harm'. For the uninflected adjective, cf. 'wir sind gut Freund miteinander': 'we're the best of friends'.

p. 96 **saumäßig:** 'bloody awful'; 'sau-' is a very strong prefix in colloquial German; cf. 'saudumm'.

Jahi: A fictitious name, like Han and the River Myr (in some editions 'Mir').

p. 97 **wie ausgewechselt:** 'a changed man'; 'auswechseln' is used of changing a tyre or wheel on a car.

er plant etwas mit uns: Bentley: 'he's cooking something up'.

Für einen Lungenzug geht ihr ja durchs Feuer: 'you'll do anything for a drag'.

für gewöhnlich: (coll.) 'as a rule'; cf. American usage, 'for free', 'for real'.

p. 99 **wird es darauf ankommen . . . zu marschieren:** 'it will be a question of marching'.

den Wasserlöchern entlang: School grammars always recommend the accusative with 'entlang', but the dative is still quite common, especially when the preposition precedes the noun.

reißt er sehr stark: 'there's a very strong current'.

Sieh mal an!: 'Just look at that now'.

sich ja Zeit zu lassen: 'to take his time.'

Er wird ihm noch Vorschub leisten: 'He'll back him up now too'.

p. 99 **der Mann, der hier durchgreift:** 'the man for strong measures'.
ab heute: 'from today'; cf. 'ab sofort': 'as from now', 'ab dem 15 April', etc.
Heißt das gepackt?: 'Do you call that packed?'
mir ins Gesicht hinein: 'to my face'.

p. 100 **Du wirst es nie zu etwas bringen:** 'you'll never be a success'.
Nimm dich in acht: 'watch out'.
Gewerkschaft: The coolies were not organized in trade-unions until after 1930, and had in fact no rights whatever, even in districts held by the communists. They belong to what Marx called the 'Lumpenproletariat' – riff-raff, supposedly incapable of 'Klassenbewusstsein'.
ich muß mir alles gefallen lassen: 'I must just put up with anything'; cf. 'das lass' ich mir nicht gefallen': 'I'm not standing for that'.

p. 101 **Dann los:** 'off we go, then'.

p. 103 **Wir sind ganz richtig gegangen:** 'we went the right way'.

p. 105 **Wetten wir:** 'What's the betting?'
Er stößt ihn vor sich her: The Sussex University production made the chorus 'mime' the river, simulating the waves, and carrying the Coolie across.
der Gelungene: 'the successful man', in contrast to 'das Mißlungene': 'the failure'.

p. 106 **schuf Herr und Knecht!:** This reversal of the basic scriptural doctrine of the equality of men before God is based on a spurious interpretation of Genesis 9, xxv, where Ham is punished for looking upon his father's ignominy by being made the servant of Shem and Japheth. Since Ham is traditionally taken to be the forefather of the Negro race (though entirely without

scriptural justification) the passage is still cited in South Africa and Dixie as divine endorsement of white superiority. This abuse of religion provides a good instance of what Marx calls the 'Überbau' of capitalism.
gewöhnt: Usually the unrounded form 'gewohnt' is used with a direct accusative, otherwise '*an* etwas gewöhnt' with accusative.

p. 108 **Er schlägt ihn:** Sussex University's chorus, squatting behind the players, groaned in sympathy (see frontispiece). In the Nô plays the *hayashi* frequently punctuates the text with unscripted cries.

p. 109 **mich jetzt auf den Standpunkt stellen:** 'adopt the attitude'.
wie zugeschnürt: 'parched'. This expression is also used in the sense of 'having a lump in one's throat'.
Tu: Coll. for 'put'.
Also doch! . . . Jetzt hast du's: 'Right then. Take that, you bastard! You asked for it'. Sussex dispensed with the pistol, and the 'shot' was effectively provided by the drum.

p. 110 **die Gerichtsszene:** Sussex used two black-draped benches at right-angles, with a step-ladder for the judge at the apex.

p. 111 **leer ausgehen:** 'go away empty-handed'.
auf die schwarze Liste kommen: 'be blacklisted', i.e. debarred from further employment.
Wenn mein Mann dadurch . . .: 'Even if that won't bring my husband back to life'.

p. 112 **Das war Sache des Führers:** 'That was the guide's job'.

p. 114 **haben natürlich nichts zu sagen:** 'are meaningless'.

p. 115 **Jetzt ist nur auch er verloren!:** 'Now he's done for too, that's all'.

p. 116 **mir, der ich:** 'to me, who . . .'. All personal relative pronouns function this way, 'die wir', 'der du', etc.; cf. 'Der du von dem Himmel bist' (Goethe).
Auge um Auge: 'an eye for an eye'. Leviticus 24, xix. Luther's translation reads: 'Und wer seinen Nächsten verletzt, dem soll man tun, wie er getan hat, Schade um Schade, Auge um Auge, Zahn um Zahn.'

p. 117 **ihr:** The pleonastic subject of the imperative 'fürchtet'.
etwa: 'I suppose', 'by any chance', 'etwa' usually expects the answer 'no' like *num* in Latin.
vorhatte: 'had in mind'.
Dann verkündige ich also das Urteil: The dry and tortuous 'officialese' in which the sentence is couched is a deliberate parody of legal jargon.

p. 118 **pure Vernunft:** 'sheer common sense'.
hatten sie doch nur zu gewinnen: 'they only stood to gain'.

Appendix

A. FROM THE NOTES TO 'MAHAGONNY'

(1) *Epic Theatre*

Die Oper war auf den technischen Standard des modernen Theaters zu bringen. Das moderne Theater ist das epische Theater. Folgendes Schema zeigt einige Gewichtsverschiebungen vom dramatischen zum epischen Theater.[1]

Dramatische Form des Theaters	*Epische Form des Theaters*
handelnd	erzählend
verwickelt den Zuschauer in eine Bühnenaktion	macht den Zuschauer zum Betrachter, aber
verbraucht seine Aktivität	weckt seine Aktivität
ermöglicht ihm Gefühle	erzwingt von ihm Entscheidungen
Erlebnis	Weltbild
der Zuschauer wird in eine Handlung hineinversetzt	er wird ihr gegenübergesetzt
Suggestion	Argument
die Empfindungen werden konserviert	werden bis zu Erkenntnissen getrieben

[1] Dieses Schema zeigt nicht absolute Gegensätze, sondern lediglich Akzentverschiebungen. So kann innerhalb eines Mitteilungsvorgangs das gefühlsmäßig Suggestive oder das rein rational Überredende bevorzugt werden.

der Mensch als bekannt vorausgesetzt	der Mensch ist Gegenstand der Untersuchung
der unveränderliche Mensch	der veränderliche und verändernde Mensch
Spannung auf den Ausgang	Spannung auf den Gang
eine Szene für die andere	jede Szene für sich
Geschehen linear	in Kurven
evolutionäre Zwangsläufigkeit	Sprünge
die Welt, wie sie ist	die Welt, wie sie wird
Der Mensch als Fixum	Der Mensch als Prozeß
das Denken bestimmt das Sein	das gesellschaftliche Sein bestimmt das Denken
Gefühl	Ratio

Der Einbruch der Methoden des epischen Theaters in die Oper führt hauptsächlich zu einer radikalen *Trennung der Elemente.* Der große Primatkampf zwischen Wort, Musik und Darstellung (wobei immer die Frage gestellt wird, wer wessen Anlaß sein soll – die Musik der Anlaß des Bühnenvorgangs, oder der Bühnenvorgang der Anlaß der Musik usw.) kann einfach beigelegt werden durch die radikale Trennung der Elemente. Solange „Gesamtkunstwerk" bedeutet, daß das Gesamte ein Aufwaschen ist, solange also Künste „verschmelzt" werden sollen, müssen die einzelnen Elemente alle gleichermaßen degradiert werden, indem jedes nur Stichwortbringer für das andere sein kann. Der Schmelzprozeß erfaßt den Zuschauer, der ebenfalls eingeschmolzen wird und einen passiven (leidenden) Teil des Gesamtkunstwerks darstellt. Solche Magie ist natürlich zu bekämpfen. Alles, was Hypnotisierversuche darstellen soll, unwürdige Räusche erzeugen muß, benebelt, muß aufgegeben werden.

(2) *The role of 'Misuk' in Epic Theatre*

Für die Musik ergab sich folgende Gewichtsverschiebung:

Dramatische Oper	*Epische Oper*
Die Musik serviert	Die Musik vermittelt
Musik den Text steigernd	den Text auslegend
Musik den Text behauptend	den Text voraussetzend
Musik illustrierend	Stellung nehmend
Musik die psychische Situation malend	das Verhalten gebend

Die Musik ist der wichtigste Beitrag zum Thema. (*SzT*, pp. 19–22)

B. *Der Schneider von Ulm*
(Ulm, 1592)

Bischof, ich kann fliegen
Sagte der Schneider zum Bischof.
Paß auf, wie ich's mach!
Und er stieg mit so 'nen Dingen
Die aussahn wie Schwingen
Auf das große, große Kirchendach.
  Der Bischof ging weiter.
  Das sind lauter so Lügen
  Der Mensch ist kein Vogel
  Es wird nie ein Mensch fliegen
  Sagte der Bischof vom Schneider.

Der Schneider ist verschieden
Sagten die Leute dem Bischof.
Es war eine Hatz.

Seine Flügel sind zerspellet
Und er liegt zerschellet
Auf dem harten, harten Kirchenplatz.
Die Glocken sollen läuten
Es waren nichts als Lügen
Der Mensch ist kein Vogel
Es wird nie ein Mensch fliegen
Sagte der Bischof den Leuten.

C. BRECHT'S LETTER TO SÜDDEUTSCHEN RUNDFUNK

An den Süddeutschen Rundfunk
Stuttgart.

Sehr geehrte Herren,

Wenn Sie den Lindberghflug in einem historischen Überblick bringen wollen, muss ich Sie bitten, der Sendung einen Prolog voranzustellen und einige kleine Änderungen im Text selber vorzunehmen. Lindbergh hat bekanntlich zu den Nazis enge Beziehungen unterhalten; sein damaliger enthusiastischer Bericht über die Unbesieglichkeit der Nazi-Luftwaffe hat in einer Reihe von Ländern lähmend gewirkt. Auch hat L. in den USA als Faschist eine dunkle Rolle gespielt. In meinem Hörspiel muss daher der Titel in „Der Ozeanflug" umgeändert werden, man muss den Prolog sprechen und den Namen Lindbergh ausmerzen.

(1) in 1 (Aufforderung an Jedermann)
anstatt: „Den Ozeanflug des Kapitän Lindbergh"
nunmehr: „Die erste Befliegung des Ozeans".

(2) in 3 (Vorstellung des Fliegers und sein Aufbruch . . .)
anstatt: „Mein Name ist Charles Lindbergh"
nunmehr: „Mein Name tut nichts zur Sache".

(3) in 10 (Während des Fluges sprachen alle. . . .)
anstatt: „Ich bin Charles Lindbergh. Bitte, tragt mich"
nunmehr: „Ich bin derundder. Bitte, tragt mich".

Wenn Ihnen diese Fassung recht ist, habe ich nichts gegen eine Aufführung. Die Änderungen mögen eine kleine Schädigung des Gedichts bedeuten, aber die Ausmerzung des Namens wird lehrreich sein.

Mit den besten Grüssen
Ihr
gez. Bertolt Brecht

Berlin 3.1.50.

Select Vocabulary

(s = strong verb)

der Aasgeier, vulture
abbauen, to reduce, cut
abbringen (s.), to dissuade
abfliegen (s.), to take off
die Abhilfe, redress, relief
ablegen, to take off
ablesen (s.), to read off
die Abmessung, dimension
die Abrechnung, settlement
abschaffen, to abolish
der Abschaum, scum
abschlachten, to butcher
abschrauben, to screw off
absingen (s.), to sing
der Abstand, distance, interval
abwägen (s.), to weigh up, consider
abwarten, to wait
abweisen (s.), to dismiss
abwürgen, to choke, stifle
acht, sich in acht nehmen, to watch out, take care; **acht geben auf,** to look after
der Acker, (cultivated) field
die Ahnung, idea, premonition
die Aktion, operation, activity, mission
allerhand, all kinds of
die Allgemeinheit, generality, universality
allesamt, one and all
das Amt, office
der Anblick, view, sight
andeuten, to hint at, suggest
die Andeutung, intimation, allusion
anerkennen (irr.), to acknowledge, accept
anheimstellen, to submit, leave (to someone's judgement)
anfordern, to requisition, claim
angelegen, important; **ich lasse es mir angelegen sein** = I make it my business
das Angesicht, face; **im A.** = in full view of
der Angestellte, employee
angreifen (s.), to attack
der Anhang, following
anklagen, to accuse
anlächeln, to smile at
der Anlaß, cause
anlocken, entice
anmaßen, to usurp, assume
annehmen (s.), to accept, assume
anpacken, to deal with
die Anregung, incitement, incentive
sich ansammeln, to congregate, assemble
sich anschließen (s. + dat.), to join
ansetzen, to appoint
die Ansicht, view, opinion
ansprechen (s.), to address
der Anspruch, claim
anstandslos (adv.), without fuss, unhesitatingly
anstellen, to do, to get up to
anstimmen, to begin to sing, to join in
sich anstrengen, to exert oneself
die Anstrengung, exertion
der Ansturm, onslaught
der Antrag, proposal; **im A.** + gen. = at the behest of, in the name of
antreiben (s.), to drive, urge on

antreten (s.), to begin (job or journey)
die Anweisung, instruction
die Anzahl, number
anzeigen, to denounce
der Anzug, suit
der Apparat, machine
arbeitslos, unemployed
arglos, guileless, innocent
die Armut, poverty
die Art, kind, nature
der Ast, branch
aufatmen, to heave a sigh of relief
aufbrechen (s.), to start off
der Aufbruch, start
der Aufenthalt, stop, halt, stay
die Aufforderung, challenge
aufgeben (s.), to give up, surrender
sich aufheitern, to cheer up
aufhetzen, to stir up, agitate
aufholen, to catch up
auflesen (s.), to pick up
auflösen, to dissolve
aufmerken, to watch out
aufrufen (s.), to challenge
aufsässig, rebellious, hostile
aufschlagen (s.), to erect
der Aufseher, overseer
aufsteigen (s.), to take off, climb
sich aufstellen, to take up one's position
auftauchen, to appear, emerge
der Auftrag, task, commission
aufzeigen, to demonstrate
ausbeuten, to exploit
die Ausbeutung, exploitation
ausbilden, to train
ausbreiten, to broadcast, spread
ausbrüten, to plot, hatch
ausgleiten (s.), to slip
aushalten (s.), to survive, to keep going
aushändigen, to hand out
aushecken, to hatch, think up (a plot)
sich auskennen (irr.), to be well acquainted
auskommen (s.), to get by, get along
die Auslöschung, obliteration, extinction
ausmerzen, to eradicate, efface
ausnahmsweise (adv.), by way of exception
ausnutzen, to exploit, profit from
ausreichen, to be sufficient
ausreichend, sufficient
die Ausruhe, rest
ausrutschen, to slip
der Aussatz, leprosy
ausschütten, to pour away
außerdem, besides
sich äußern (zu etwas), to express an opinion (on something)
äußerst, extreme, uttermost
die Aussicht, prospect(s)
austilgen, to destroy, abolish
die Austreibung, banishment
aussuchen, to select

der Bahndamm, railway embankment
barsch, harsh, brusque
der Bau, construction, building
der Baumstrunk, tree-trunk
die Baumwolle, cotton
beaufsichtigen, to supervise
bedenken (s.), to consider
das Bedenken, consideration, doubt
bedrohen, to threaten
bedrücken, to weigh down, oppress
bedürfen (s. + gen.), to need
die Beendigung, termination
die Befliegung, (air-) crossing
befragen, to consult
befreien, to free, liberate
befremden, to astonish
sich begeben (s.), to go
begehen (s.), to commit
der Begleitbrief, covering letter
der Begleiter, companion
sich begnügen, to put up (with), to make do
begründen, to found, justify
begrüßen, to greet
behandeln, to treat
beharren, to persist

beherrschen, to rule
bekämpfen, to combat, fight against
belästigen, to molest, annoy
belehren, to instruct
die Belehrung, instruction
sich bemühen, to endeavour, make an effort
benachteiligen, to put at a disadvantage
das Benzin, petrol
beraten (s.), to counsel
berechtigen, to justify
bereden, to discuss
der Bericht, report
beschaffen, procure, get
die Beschaffenheit, quality, consistency
beschäftigen, employ, occupy
beschließen (s.), to decide
der Beschluß, decree, decision
beschränken, to limit
beschwerlich, troublesome, difficult
sich besinnen (s.), to reflect, deliberate
das Besitztum, possession, property
die Besorgnis, anxiety, care
besorgt, worried, anxious
bestehen (s.) (**auf** + dat.), to insist (on)
besteigen (s.), to climb into, mount
bestellen, to work; to order
bestimmen, to determine
die Bestrafung, punishment
sich beteiligen (**an** + dat.), to participate (in)
betrachten, to observe, watch
der Betrieb, works, plant, factory
der Betriebsschluß, end of the working day; **nach B.** = after work
beunruhigen, to alarm, disturb
die Bewegung, movement
sich bewähren, to prove one's merits, prove reliable
bewerfen (s.), to pelt
bewaffnen, to arm
der Bindfaden, string
bisherig, existing hitherto
das Blech, tin, cheap metal
der Brauch, custom, tradition
die Breite, latitude
bresthaft, feeble, infirm
brüllen, to roar
der Bursche, fellow

der Dachziegel, roof-tile
daheim, at home
der Damm, dam, dyke
die Dämmerung, twilight
darstellen, to depict, show
demolieren, to demolish
der Demonstrant, demonstrator
derunddder, so-and-so
das Diebesgut, loot, stolen goods
der Dirigent, conductor
doppelt, double
der Dreck, dirt
drohen, to threaten, be imminent
die Drohung, threat
dulden, to tolerate
durchaus, utterly, completely
durchhalten (s.), to hold out, keep going
durchsetzen, to carry out

ebenfalls, likewise
die Ehre, honour, glory
ehrfürchtig, respectful
der Eigentümer, owner, proprietor
eigentümlich, peculiar, selfish
sich eignen (zu), to be suitable (for)
die Eile, haste
eindringlich, emphatic, urgent
der Eindruck, impression
die Einfalt, simplicity
einführen, to introduce
sich eingliedern, to take up a position, join
eingreifen (s.), to intervene
einholen, to catch up
einklagen, to sue for
einnehmen (s.), to take, fill
der Einsatz, commencement, being used (on a mission)

einschlagen (s.), to strike out
einsehen (s), to realize
einsetzen, to use, engage
einst, once, formerly
einstecken (coll.), to pocket, finish off, 'do for'
einverstanden, agreed, in agreement
das Einverständnis, consent, acquiescence
einwickeln, to wrap up
einzeichnen, to mark
der Einzelne, individual
einzig, only
das Elend, misery
elend, wretched, miserable
empfangen (s.), to receive
die Empörung, indignation
entbehren, to do without
die Enteignung, dispossession, expropriation
entlassen (s.), to dismiss, sack
sich entledigen (+ gen.), to get rid of
entlohnen, to pay, recompense
entmenschen, to dehumanize, to rob of human qualities
entreißen (s.), to snatch away
das Entsetzen, horror
der Entschluß, decision
entsprechen (s.) (+ dat.), to correspond (to)
entstehen (s.), to come into being
entwaffnen, to disarm
der Erdklumpen, clod (of earth)
erfahren (s.), to experience, learn
die Erfahrung, experience
erfassen, to seize, grip, deal with
sich ergeben (s.), to result
ergreifen (s.), to seize
sich erheben (s.), to rise up, ascend
erhöhen, to increase
erkalten, to turn cold
sich erkundigen, to make enquiries
erlangen, to attain
ermutigen, to encourage
der Ernährer, bread-winner
ernten, to harvest, reap
erpressen, to extort
erringen (s.), to wrest, win by struggle
ersaufen (s.), vulg. for **ertrinken:** to drown
erschießen (s.), to shoot
erschlagen (s.), to slay, strike down
erschöpfen, to exhaust
erschrecken (s.), to be terrified
erstreiten (s.), to gain by fighting
ertrinken (s.), to drown
die Erwägung, consideration
erweisen (s.), to show, prove; **Dienst erw.** = to do a service
erwidern, to reply, retort
das Erz, ore
sich erzeigen, to show oneself
erzeugen, to beget, produce
erzürnt, angry

fähig (**zu**), capable (of)
das Fahrgestell, undercarriage
das Fahrzeug, vehicle
fassen, to seize, grab
faulig, foul, putrid, corrupt
das Faultier, sloth, idle creature
fechten (s.), to fight
fehlen (**an** + dat.), to be missing or lacking (in)
feiern, to celebrate, fête
feige, cowardly
die Feldflasche, canteen
das Fernglas, binoculars
sich fernhalten (s.), to keep away from
die Ferse, heel
festhalten (s.), to hold on to
der Fetzen, shred, strip
der Fleck, spot
der Flug, flight
das Flugblatt, leaflet
die Flugschrift, leaflet
der Fluß, river, flow
die Flußmündung, river-mouth
die Folge, consequence
fordern, to demand
freisprechen (s.), to acquit
das Fressen (vulg.), 'grub', food
frieren (s.), to freeze
die Führung, leadership

der Funke spark
die Furt, ford

der Gang, course, passage
die Gänze, totality
der Gebrauch, usage, custom
das Gedächtnis, memory
gefährden, to endanger
die Gegenrevolution, counter-revolution
das Gehalt, salary, wages
geheim, secret
gehorchen (+ dat.), to obey
das Gelächter, laughter
die Gelegenheit, opportunity
gelernt, trained
gelingen (s. + dat.), to succeed
gelten (s.), to count, be valid
gemäß (prep. + dat.), in accordance with
die Gemeinheit, vulgarity, mean trick
gemeinsam, common, communal, united
das Gemeinwesen, community
der Genosse, comrade
geradezu, altogether, positively
geraten (s.), to fall into; **in Schwierigkeiten g.** = to get into difficulties
das Geräusch, noise, sound
das Gericht, court
das Geschäft, business, deal
das Geschick, fate, lot
das Geschlecht, generation, sex
das Geschöpf, creature
geschwind, speedy
die Gesellschaft, society
das Gesetz, law
das Gesindel, rabble
gestatten, to permit, allow
das Geständnis, confession
gestehen (s.), to confess, admit
die Gewalt, violence, brute force
der Gewehrlauf, gun-barrel
die Gewerkschaft, trade-union
gewinnsüchtig, greedy
gewohnt (+ acc.), accustomed (to)
glatt, smooth
glaubhaft, credible
gleichen (s. + dat.), to resemble, be equal to
gleichgültig, indifferent
gleichmäßig, even
gleichsam (adv.), as it were, so to speak
die Gliedmaßen (pl.), limbs
glücken, to succeed
die Grablegung, burial
der Grad, degree
gründlich, thorough
der Grat, ridge
das Grundgesetz, basic law, statute
der Gummiknüppel, rubber truncheon

die Hacke, hatchet, hoe
haften (an + dat.), to cling (to)
halten (für + acc.) (s.), to consider
sich halten (s.), to get a grip, keep a steady course; **sich h. an** = to stick to, abide by
die Haltung, attitude
sich handeln (um + acc.), to be a question of
der Händler, dealer
hantieren, to fuss, 'mess about'
hasten, to hurry
die Heimkehr, return (home)
heimlich, secret
heimtückisch, malicious, treacherous
heldenhaft, heroic
herausquetschen, to squeeze out
herausschrauben, to screw out
herfallen (über + acc.) (s.), to attack
hergeben (s.), to yield, surrender
herrschen, to rule, prevail
herstellen, to manufacture, produce
sich herumsprechen (s.), to be rumoured
herunterlangen, to reach down
der Hetzer, 'agent provocateur'
hinabschleudern, to hurl down
hinansteigen (s.), to climb on up
hindeuten (auf + acc.), to indicate, bode

hinfallen (s.), to fall down
hintenüber, over backwards
hinterher, after
hinterrücks, from behind
hochkommen (s.), to get up, climb
das Hochwasser, high-water, flood; **H. haben** = to be in flood
die Hoffnungslosigkeit, hopelessness
horchen, to listen, eavesdrop

immerfort, constantly
immerhin, nevertheless, anyway
imstande, in a position
der Inhaber, occupant, owner

jagen, to chase, hunt
das Jahrtausend, millennium
das Jahrzehnt, decade
jammern, to lament

der Kahn, barge
der Kalk, (quick)lime
die Kalkgrube, lime-pit
die Kameradschaft, comradeship
das Kanonenboot, gun-boat
die Kantine, canteen
karg, scanty, meagre
die Kaserne, barracks
der (or **das**) **Kautschuk,** india-rubber
kenntlich, recognizable
die Kenntnis, knowledge
keuchen, to pant
die Klage, plea
klassenbewußt, class-conscious
das Klassenbewußtsein, class-consciousness
kleben, to stick
die Kleinarbeit, detail, drudgery
knüpfen, to tie, connect
das Kommando, command
der Konkurrent, rival, competitor
die Konserve, preserves
konstruieren, to construct
kontrollieren, to check
der Krug, jug
sich kümmern (um + acc)., **to** bother (about)
kündigen, to proclaim
kurzbefristet, short-lived
die Kürze, brevity; **in K.,** shortly

lädieren, to hurt, injure
die Lage, position, situation
das Lager, warehouse, godown
die Landkarte, map
die Länge, length, longitude
lebensgefährlich, deadly
das Lebewohl, farewell
die Lehre, doctrine
das Leiblied, favourite song
der Leichtsinn, folly, frivolity
das Leid, sorrow
die Leinwand, canvas, screen
die Leistung, achievement
leugnen, to deny
liefern, to deliver, give up
der Lohn, wage(s)
die Löhnung, wage(s)
losgehen (s.), to go off
lumpig, mere, measly
lynchen, to lynch

der Mangel, fault, defect, lack, scarcity
mangelhaft, faulty
das Maschinengewehr, machine-gun
die Maßnahme, measure
meinen, to think, suppose
melden, to report
menschenleer, uninhabited, deserted
die Menschenleere, desert, absence of human beings
die Menschheit, humanity
die Menschlichkeit, humanity, humane instinct
der Mißbrauch, abuse
das Mißgeschick, mishap
mißlingen (s.), to fail
das Mißtrauen, suspicion, distrust
das Mitgefühl, sympathy
das Mitleid, pity, compassion
mitleidig, compassionate

mitmachen, to join in, take part
mitteilen, to communicate
das Mittel, means, cure
mitunter, sometimes
der Monteur, mechanic, fitter
der Mörder, murderer
das Morgengrauen, dawn
die (or **das**) **Mühsal,** distress, toil
die Münze, coin
die Munition, ammunition
der Mut, courage

nachdenken (irr.), to reflect
nachgeben (s.), to yield, give in
die Nachricht, news
nahelegen, to urge
die Nahrung, food
nahrungslos, devoid of food
nebenherlaufen (s.), to run alongside
der Nebenhof, neighbouring courtyard
der Nebenmann, neighbour
das Netz, net(work)
niederstrecken, to cut down
die Niedrigkeit, baseness, mean act
die Noten (pl.), music
der Notfall, emergency; **im N.** = in an emergency
nottun (s.), to be necessary
die Notwehr, self-defence
die Notwendigkeit, necessity

der Ochse, ox
offenkundig, open, obvious
die Orientierung, navigation

das Pack, rabble, mob
der Packen, pack, bundle
der Panzerzug, armoured train
der Peiniger, tormentor
das Personal, staff
die Pferdeäpfel (pl.), horse-droppings
die Pflicht, duty
planmäßig, scheduled
das Podest, small platform, dais
das Podium, small platform, dais
die Polizeistrife, police squad
preisgeben (s.), to sacrifice, surrender
der Prolet, worker, member of the proletariat

die Qual, torment, torture
quälen, to torment
die Quelle, source

sich rächen (an + dat.), to take vengeance (on)
rasend, furious
die Rasse, race, breed
rattern, to rattle, splutter
die Räuberhorde, gang of robbers
rechnen (mit), to count (on)
rechtlich, just, honest, upright
der Redner, speaker, orator
die Regierung, government
reglos, motionless
reichen, to be enough
der Reichtum, wealth, riches
die Reihe, rank, row
reinigen, to clean
die Reinigung, purification
reisefertig, ready for off
reißend, turbulent
richten, to put in order, see to
sich richten (nach), to take one's bearings (from)
der Riemen, strap
die Riesenmenge, vast crowd
die Roheit, coarseness
das Rohr, tube, pipe
rosig, rosy
der Ruhm, fame, glory
rühmen, to praise
rühren, to move

saumäßig (vulg.), shocking, terrible
der Schabernack, mischief; **S. treiben** = to get up to monkey-tricks
der Schädel, skull
der Schaden, damage; **S. nehmen (an** + dat.) = to come to grief (on)

der Schadenersatz, damages, compensation
schädigen, to damage, harm
schaffen (s.), to create
schaffen (coll.) (wk.), to achieve; **er schafft es nicht** = he won't make it
schallend, noisy, boisterous, resounding
die Schande, disgrace
schänden, to disgrace, outrage
scheinbar, apparent
das Schema, plan, diagram
scheußlich, frightful
das Schicksal, fate, destiny
die Schimpfrede, abuse
der Schlächter, butcher
das Schlachtmesser, butcher's knife
der Schlamm, mud
die Schlauheit, cunning, slyness
schleichen (s.), to creep
schleppen, to drag, haul
schleudern, to hurl
der Schluck, swig
die Schlußverhandlung, final arrangements
die Schmähung, abuse
schmal, narrow
schonend (adv.), with consideration
schöpfen, to draw
der Schoß, lap
schuld (**an** + dat.), guilty (of), at fault (for)
der Schuppen, hangar, shed
die Schüssel, dish
schwächen, to weaken
das Schweigegeld (coll.), 'hush-money'
schwer (adv.), hardly
die Seekarte, chart
der Segler, sailing-boat
das Seil, rope
seinerzeit, before
seinetwegen, for his sake, on his account
seltsam, strange
die Setzmaschine, linotype, composing-machine
die Sicherheit, security, safety
die Seuche, plague
sichten, to sight, locate
die Sichtweite, range; **außer S.** = out of sight
siegen, to win, conquer
sorgen (für), to see to
spannen, to yoke, strap in
spärlich, sparse
spazierengehen (s.), to stroll, amble along
speichelleckerisch, lickspittle, obsequious
die Spinnerei, spinning-mill
der Spruch, sentence
die Spur, trace, track
stählern, made of steel
die Stätte, place
der Steckbrief, dossier, file
der Stecken, stick, pole
die Stellenvermittlung, labour exchange
das Steuer, rudder, helm, 'joy-stick'
der Steuerhebel, control-lever, 'joy-stick'
steuerlos, out of control
stöhnen, to groan
stoßen (s.), to push, shove
streichen (s.), to cancel
der Streikposten, picket
der Streit, quarrel
der Strick, rope
der Strohhut, straw hat
der Sturz, crash
stürzen, to crash, dash

tagweise, by the day
der Täter, doer, culprit
das Tau, rope
teilnehmen (**an** + dat.) (s.), to take part (in)
das Tempo, pace
der Träger, bearer
die Tragfläche, wing
der Tragriemen, carrying-strap
treiben (s.), to drive, conduct, spread
der Trichter, funnel
der Tritt, kick, footstep

der Troß, retinue
die Trümmer (pl.), debris, ruins
die Tugend, virtue

überanstrengen, to over-exert
überfliegen (s.), to fly across
der Übergang, crossing, transition
überlassen (s.), to leave
überlegen, to consider; **ich überlege es mir** = I'll think it over
übernehmen (s.), to take on, take over
überschreiten (s.), to cross
überschütten, to heap, to deluge
überstehen (s.), to survive
übertreffen (s.), to exceed
übervorteilen, to take advantage of
überwinden (s.), to overcome
überzeugen, to convince
die Überzeugung, conviction
üblich, usual
übrigbleiben (s.), to remain
übrigens, by the way
umarmen, to embrace
umbauen, to rebuild, change
umbringen (s.), to kill
umkehren, to turn back
umsonst, in vain, for nothing
der Umstand, circumstance; **unter Umständen** = perhaps
umwälzen, revolutionize
die Umwälzung, revolution
unaufhaltsam, irresistible
unaufhörlich, incessant
unbedingt (adv.), definitely, at all costs
unbelehrbar, incorrigible
unbeteiligt, having no share, innocent
unbeugbar, inflexible
die Unerbittlichkeit, inexorability, sternness
unerklärlich, inexplicable
unermeßlich, immeasurable
unermüdlich, indefatigable
ungeheuer, tremendous
unerreichbar, unattainable
unhemmbar, irresistible
ungeheuerlich, monstrous
die Ungerechtigkeit, injustice
unhinderbar, irresistible
unkenntlich, unrecognizable
die Unkenntnis, ignorance
die Unordnung, disorder, chaos
das Unrecht, injustice
die Unruhe, disturbance
unschuldig, innocent
untätig, passive, idle
unterbrechen (s.), to interrupt
unterdrücken, to oppress, suppress
untergehen (s.), to perish
unternehmen (s.), to undertake
der Unterschied, difference
unterstellen, to submit
unterstützen, to support
unterwegs, *en route*
die Unterweisung, instruction
die Unterwerfung, submission
unveränderlich, immutable
unvermutet, unexpected
unweit, not far from
unwissend, ignorant
die Unzufriedenheit, dissatisfaction
unzuverlässig, unreliable
der Unternehmer, entrepreneur, contractor
untersuchen, to investigate
der Urgrund, basic cause
das Urteil, judgement, verdict
urteilen, to judge, cast a verdict

verachten, to despise
veranlassen, to cause, make
die Verantwortung, responsibility
der Verband, group, union, society
verbessern, to correct, improve
die Verbesserung, improvement, amelioration
das Verbrechen, crime
verbrennen (s.), to burn
verdammen, to damn, condemn,
verdecken, cover (up), hide
die Verdeutlichung, clarification
der Verfall, decay
verfallen (s.), to decay; (+ dat.) to fall victim to
der Verfolger, pursuer, persecutor

die Verfolgung, persecution
verführen, to mislead
vergönnen, to permit
vergrößern, to magnify
sich verhalten (s.), to adopt an attitude, behave
das Verhalten, behaviour, attitude
das Verhältnis, relationship
die Verhandlung, hearing, proceedings
verhören, to cross-examine
sich verirren, to get lost
verkündigen, to announce, pronounce
verladen (s.), to load
verlangen, to demand
verletzen, to harm, hurt
verlöschen (s.), to be extinguished; (weak vb.) to extinguish, obliterate
vermeiden (s.), to avoid
die Vermessungtabelle, surveyor's table
die Vernichtung, destruction, annihilation
die Vernunft, reason, common sense
vernünftig, rational, reasonable
verordnen, to decree, ordain
der Verrat, betrayal
versagen, to fail
die Versammlung, meeting
verschaffen, to procure
verscheuchen, to scare away
verschlingen (s.), to engulf, devour
verschmachten, to waste away, die of thirst
sich versehen (s.) (+ gen.), to expect
versiegeln, to seal
versinken (s.), to sink down
die Versprechung, promise
der Verstand, sense, intellect, understanding
verstärken, to intensify
verstopfen, to block, stop up
verteidigen, to defend
verteilen, to distribute
vertragen (s.), to tolerate, endure, stand
vertreiben (s.), to banish, drive off
verunglücken, to meet with an accident
vervollständigen, to complete
verwandeln, to transform
verwandt, related
verweigern, to deny, refuse
verweilen, to pause, tarry
die Verwirrung, confusion
verwischen, to wipe out
verzehren, to consume
vielbegangen, much frequented, beaten
vollstrecken, to execute, carry out
vorangehen (s.), to go on in advance
vorausgehen (s.), see **vorangehen**
voraussetzen, to assume; **vorausgesetzt** = assuming
sich vorbeugen, to bend forwards
vorfallen (s.), to occur
das Vorhaben, intention
vorhanden, present, there
vorhin, before, earlier
vorkommen (s.), to occur, be found
vormachen, to pretend
der Vormarsch, advance
vornehmen (s.), to undertake; **ich habe es mir vorgenommen** = I've set my mind on it
der Vorsänger, precentor, 'lead' singer
vorschreiben (s.), to prescribe
der Vorschub, support; **V. leisten** (+ dat.) = to back up, support
sich vorsehen (s.), to provide for oneself
der Vorsprung, lead
die Vorstellung, presentation, introduction, idea
der Vorteil, advantage, benefit
der Vortrupp, vanguard
der Vorwurf, reproach
das Vorzimmer, ante-room

der Waffengebrauch, use of arms
das Waffenlager, munitions-dump
wagen, to risk, venture

die Wanderung, hike
wehleidig, querulous, self-pitying
wehtun (+ dat.), to hurt
weiterhin, in future, from now on
sich wenden (an + acc.), to turn (to)
wetten, to wager, bet
die Wetterwarte, meteorological station; **Bericht der W.** = 'met' report
der Wettlauf, race
widerrufen (s.), to revoke, cancel
sich widersetzen (+ dat.), to oppose, resist
widmen, to dedicate
die Willkür, arbitrariness, despotism
winken, to beckon
die Wirklichkeit, reality
der Wirt, inn-keeper
der Wohlstand, prosperity
womöglich, if possible
die Würde, dignity
die Wüste, desert
wütend, furious

zäh, tough
die Zähigkeit, toughness
zaudern, to hesitate
zeichnen, to mark, draw
die Zeichnung, drawing, sketch
die Zeitrechnung, era
das Zelt, tent
zerfallen (s.), to fall to pieces
zerren, to tug
zerstampfen, to trample
das Zeug (coll.), stuff, lumber
der Zeuge, witness
zittrig, fragile, quivering
zögern, to hesitate
der Zoll, customs (-duty)
der Zorn, anger
zubereiten, to prepare
zudecken, to cover up
zufassen, to hand on
die Zufluchtsstelle, place of refuge
zugestandenermaßen, admittedly
zulegen, to increase
zunehmen (s.), to increase
zurückgreifen (s.), to refer again
sich zurückhalten (s.), to hold off
zusammengedrängt, huddled together
zuschnüren, to lace up
der Zustand, condition
zustecken, to give, slip
zustopfen, to fill in
zustoßen (s.) (+ dat.), to happen (to)